LA RENCONTRE
DES KINRA GIRLS

D1490569

Retrouve tout l'univers
des Kinra Girls sur
WWW.COROLLE.COM

À Cédric.
A. C.

Qu'as-tu pensé de cette aventure des Kinra Girls ?
Donne ton avis sur http://enquetes.playbac.fr
en saisissant le code 646078
et gagne un livre de la même collection
(si tu fais partie des 20 premières réponses).

Éditions Play Bac, 33, rue du Petit-Musc, 75004 Paris ; www.playbac.fr

LA RENCONTRE
DES KINRA GIRLS

MOKA
ILLUSTRATIONS
ANNE CRESCI

ÉDITIONS

kinra girls

IDALINA

KuMIKO

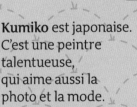

Kumiko est japonaise. C'est une peintre talentueuse, qui aime aussi la photo et la mode.

Idalina est espagnol Elle joue de la guitar et c'est une superbe chanteuse de flamenco.

NAÏMA

RAJANI

ALEXA

...aïma est afro-
...méricaine. Son père
...t américain et sa
...ère vient d'Afrique.
... cirque est sa
...ssion.

Rajani est indienne.
Elle adore danser,
surtout les danses
traditionnelles
de son pays.

Alexa est
australienne.
Elle monte à cheval
et souhaite devenir
championne
d'équitation.

MICHELLE
ennemie
des Kinra Girls

RUBY
ennemie
des Kinra Girls

JENNIFER
ennemie
des Kinra Girls

MICKAEL
ami
des Kinra Girls

JOHANNIS
ami
des Kinra Girls

M. MEYER
le directeur

MISS DAISY
l'assistante
du directeur

EMMA
l'infirmière

MME BECKETT

le professeur
d'anglais

**SIGNORA
DELLA TORRE**

le professeur
de chant

MME JENSEN

le professeur
de danse

MAÎTRE WANG

le professeur
de dessin

M. RAMOS

le professeur
de guitare

M. BROWN

le professeur
de mathématiques

M. TREMBLAY

le professeur
des arts du cirque

RAINER

le professeur
d'équitation

**NOUS SOMMES TOUS DIFFÉRENTS,
DONC TOUS EXCEPTIONNELS.**

PROVERBE ARAMÉEN.

Quand une fille rencontre une autre fille

Rajani contempla le gigantesque château. Elle était un peu étonnée. Le bâtiment paraissait très ancien. Pourtant, dans le dépliant qu'on lui avait remis, on vantait l'équipement ultramoderne de l'Académie internationale Bergström. En revanche, le parc était bien comme elle se l'était imaginé, avec de grands arbres majestueux et une belle pelouse

verte. Rajani regarda derrière elle. Les
nouveaux élèves et les anciens se pressaient
autour des cars dans un joyeux brouhaha.
Déjà, les chauffeurs sortaient les bagages.
« Ça y est, j'y suis. Mon école ! » songea
Rajani. Tant d'efforts pour en arriver là !
Elle avait sacrifié une année entière à travailler
sans relâche. Une année rythmée par les
évaluations scolaires, les cours d'anglais le
soir et les week-ends consacrés à son art.
Tout ça pour prouver à ses parents que
sa passion pour la danse n'était pas qu'un
caprice ! En comparaison, les auditions
organisées par l'Académie lui avaient
semblé presque faciles.
Attendre la lettre de l'école avait été une
véritable torture. Et quand enfin Rajani
avait reçu la réponse, elle avait poussé
un tel hurlement de joie que les fenêtres
en avaient tremblé. Elle avait réussi !

Et là… Indira, sa mère, avait dit non. Danser ?
Ce n'était pas sérieux ! Elle avait décidé
que Rajani ferait des études de médecine,
comme elle. Indira n'avait pas empêché
sa fille de remplir le dossier d'admission,
certaine que l'Académie Bergström ne
l'accepterait pas. Elle pensait que c'était
une bonne leçon de vie de découvrir qu'on
n'obtenait pas toujours ce que l'on désirait.
En fait, elle ne croyait pas au talent de Rajani.
Grave erreur ! Désespérée, Rajani avait
supplié son père. Mais Iqbal Shankar n'osait
jamais contredire sa femme.
Rajani tâta le fond de son sac à dos.
Oui, il était là, le petit singe en
peluche que lui avait offert
Karisma, sa grand-mère
adorée, avant son départ. Celle-ci
s'était mise très en colère en apprenant
qu'Indira refusait de laisser partir Rajani.

Miracle ! Indira avait fini par céder !

Pour tout encouragement, histoire d'avoir quand même le dernier mot, Indira avait déclaré que sa fille ne tiendrait pas trois mois et reviendrait à la maison en pleurant.

Rajani s'était juré de lui donner tort.

Un coup de sifflet retentit. Une jeune femme en jean, à l'allure sympathique, réclama le calme.

— Bonjour, bonjour ! cria-t-elle. Ici, personne ne m'appelle madame. Je suis Miss Daisy pour tout le monde ! Je suis l'assistante de M. Meyer, le directeur. Quand vous avez un problème, c'est moi que vous venez voir en premier. Je vous rappelle que les chambres sont prévues pour deux élèves. Je sais que les nouveaux n'ont pas eu beaucoup de temps pour faire connaissance, mais je vous conseille de choisir un colocataire rapidement.

Autrement, c'est moi qui déciderai !
Allez, allez ! Profitez de ces quelques
instants pour discuter entre vous !

Rajani sentit la panique s'emparer d'elle.
Elle avait complètement oublié qu'elle
devait partager sa chambre ! Dans le car,
pas de chance, elle s'était retrouvée
entourée de garçons qui ne lui avaient pas
adressé la parole. Elle observa le groupe
des filles. Celles-là ? Clairement des élèves
de deuxième année. Celles-ci ? Beurk,
elles avaient l'air de vraies pestes et, de
toute façon, elles étaient déjà ensemble.
Le regard de Rajani s'arrêta sur… une valise.
On avait collé dessus de grandes étiquettes
colorées où l'on pouvait lire : Kyoto, Jupiter,
Paris, Antarctique, Tombouctou, E.T. Maison,
Moscou et Mumbai[1]. Un « oooh » de surprise
passa les lèvres de Rajani. Le ciel lui envoyait
un signe !

1. *Mumbai : ville importante d'Inde, autrefois appelée Bombay.*

Rajani surmonta sa timidité et s'approcha d'une Japonaise au look assez excentrique. Elle joignit ses mains par les paumes et s'inclina légèrement.

– *Namasté²*, dit-elle. Mon nom est Rajani Shankar et ça...

Elle pointa le doigt vers la valise.

– C'est là où j'habite !

– En Antarctique ?

– Non, répondit Rajani après une hésitation. Mumbai.

– Je rigole ! Moi, c'est Kumiko Matsuda. T'as une coloc, toi ?

– Non, justement, je me demandais si...

– D'accord ! l'interrompit Kumiko.

Rajani était un peu troublée par le côté brusque de la Japonaise. Elle commença

---

2. Namasté *(en hindi, une des langues parlées en Inde)* : *« je m'incline devant vous », formule de politesse qui signifie « bonjour, au revoir, bienvenue ».*

à douter. Et si elles ne s'entendaient pas ?

Puis Kumiko prononça la formule magique.

— C'est fou, hein, que j'ai mis Mumbai sur
ma valise ! J'aurais pu écrire n'importe
quoi d'autre ! C'est un signe, ça !

Rajani sourit.

— C'est ce que je pense aussi.

***

Quelques dizaines de minutes plus tard,
Rajani s'écroulait sur le lit. Le long voyage
en avion, l'interminable attente à la gare
routière, le car, l'excitation, tout ça l'avait
épuisée. Kumiko, en revanche, semblait
infatigable. Elle avait déjà rangé ses affaires
dans son armoire et empilé sur les étagères
des dizaines de mangas. À présent, elle
collait partout sur le mur des cartes
postales du Japon, des photos anciennes,
des reproductions de tableaux, des

collages de sa création et des poèmes.

— T'es pas crevée, toi ? dit Rajani.

— J'ai dormi dans l'avion.

— Moi, j'étais trop énervée. C'est la première fois que je quitte mon pays, l'Inde. Ça fait drôle.

— Mais où il est ? grommela Kumiko qui fouillait dans l'un de ses sacs.

Rajani se redressa.

— Tu as perdu quelque chose ?

Exaspérée, Kumiko retourna le sac et le secoua. Une multitude de mitaines, de collants, de leggings et de chapeaux mous tomba par terre. Rajani se mit à rire.

— Tu as une incroyable collection de fringues !

— J'en ai besoin ! Je veux être styliste pour les grands couturiers.

— Je croyais que tu étais ici pour étudier la peinture ?

– Ouais, c'est mon drame, soupira Kumiko. Tout me plaît ! La mode, les films d'animation, le dessin, la photo, la sculpture, les mangas, la poésie !
Je n'arrive pas à choisir !

Elle poussa une exclamation de triomphe. Du tas elle sortit une boule fabriquée avec des tissus multicolores sur laquelle étaient cousues avec de gros fils de laine des oreilles démesurées, quatre pattes de tailles et de couleurs différentes et une queue en fausse fourrure rose. Elle l'exhiba fièrement.

– Je l'ai fait moi-même !

– Oui, ça se voit, murmura Rajani en grimaçant.

Kumiko fronça les sourcils.

Rajani s'empressa d'ajouter :

– Très original ! C'est… un chat ? Une souris ? Heu, un…

– C'est Rien, répondit Kumiko.

Rajani hocha la tête.

> – Oui, c'est bien à ça que ça ressemble.
> À rien.

> – C'est mon Doudou Rien. Ça fait un peu
> bébé mais...

Rajani lui montra le petit singe en peluche
qu'elle avait caché sous son oreiller.

> – J'adore les singes ! s'écria Kumiko.
> Chez moi, au Japon, on pense qu'ils
> chassent les mauvais esprits des maisons !

Rajani lui répondit qu'en Inde le singe
représentait l'âme. Elle lui expliqua que
sa grand-mère Karisma le lui avait donné
avant son départ.

> – Karisma m'a dit : si tu es triste ou si tu te
> sens seule, écoute **Atman** et rappelle-toi
> qui tu es vraiment. Atman signifie « âme ».
> C'est le nom que je lui ai choisi.

> – Attends ! Il nous faut un souvenir
> de ce moment ! déclara Kumiko.

Notre premier jour à l'école ! Et je ne sais plus ce que j'ai fait de mon appareil photo… C'est dingue, ça, je l'ai vu y a pas une minute…

– Sur ton étagère !

Kumiko posa l'appareil sur une chaise et demanda à Rajani de s'asseoir par terre. Elle mit beaucoup de temps à régler le cadre. Puis elle enclencha la minuterie et se dépêcha de s'installer à côté de Rajani.

– Pousse-toi, pousse-toi ! Vite !

Clic. La photo était prise. Deux filles riant aux éclats, avec un singe en peluche à la mine réjouie et un Doudou Rien qui souriait avec les oreilles car il n'avait pas de bouche.

Chapitre 2
Deux autres filles...

Les avions n'atterrissant pas tous en même temps, certains élèves passaient une nuit dans une auberge de jeunesse à proximité de la gare routière. Ils étaient pris en charge par Mme Beckett, le professeur d'anglais de l'Académie. Mme Beckett jouait à la perfection le rôle du gendarme : interdiction de se promener dans les couloirs, interdiction de sortir dans la cour, interdiction aux garçons d'aller dans la chambre des filles et, surtout, interdiction de l'embêter !

Couchée en boule sur son lit, Idalina frotta ses paupières gonflées. Elle pleurait depuis le moment où elle avait lâché la main de sa maman à l'aéroport de Séville. Et ce n'était pas auprès du professeur qu'elle allait trouver un quelconque réconfort. Idalina se sentait perdue au milieu des grandes adolescentes de troisième année. Celles-ci étaient gentilles, mais elles avaient mieux à faire que de sécher les larmes d'une gamine. Elles bavardaient entre elles, heureuses de se raconter leurs vacances et leurs histoires d'amoureux. Idalina prit son MP3 dans son sac à dos. Un peu de musique lui remonterait sûrement le moral.

Idalina tourna la tête quand la porte s'ouvrit.
Mme Beckett apparut, suivie par une fille qui
tirait la langue en traînant son énorme valise
à roulettes.

– Baissez d'un ton, mesdemoiselles !
cria Mme Beckett. On vous entend
à des kilomètres à la ronde ! Bon, toi,
c'est quoi ton nom déjà ? Ah oui, Naïma.
Voilà, installe-toi. Il reste une place
dans le coin là-bas. Dîner à 19 heures,
mesdemoiselles ! Je ne pardonnerai
aucun retard !

Mme Beckett ressortit pour hurler après
quelqu'un d'autre. Idalina observait Naïma
avec intérêt. La nouvelle arrivée paraissait
avoir le même âge qu'elle.

– ***Hola***[3], dit Idalina entre deux hoquets.
Hic ! Pardon.

Le visage de Naïma s'éclaira d'un merveilleux
sourire. Et là, il se produisit un événement

---

3. Hola *(en espagnol)* : bonjour, salut, bonsoir.

rare. Un seul regard leur suffit pour devenir amies. Comme si elles se connaissaient depuis toujours ! Pourtant, elles ne se ressemblaient en rien, la petite Espagnole timide et l'Américaine décontractée.

Naïma s'assit sans façon à côté d'Idalina.

– Pooooooouuuh ! J'en ai plein les bottes ! Mais l'avion ! Ça, c'était top ! J'ai vu deux films ! Deux ! Et j'ai mangé trois repas ! Trois ! Plus les goûters ! Trop bons, les gâteaux ! Le plus génial, c'est d'être au-dessus des nuages et de suivre le soleil !

– Moi, j'ai eu la trouille tout le temps, répondit Idalina. Et puis, j'ai vomi. Après, j'ai pleuré.

– T'avais jamais pris l'avion avant ?

Idalina fit non de la tête.

– Moi, pareil. Mais ça fait des années que j'en rêve ! Sauf que je pensais que ma première fois, ce serait pour aller

en Afrique. Ma maman vient du Bénin.
Et je veux tellement découvrir le pays
de mes ancêtres ! Un jour, j'irai… quand
je serai riche et célèbre !

– Si tu as été choisie par l'Académie, hic !,
c'est que tu as du talent, remarqua
Idalina. C'est un bon début, non ?

– Ouais. Je compte bien devenir le
meilleur clown du monde ! Ou acrobate,
ou jongleur… fildefériste, dresseur
d'éléphants ! Ou de puces… Artiste de
cirque, quoi ! Et toi ? Attends, ne me dis
rien ! Moi, forrrrrrrmidable voyante
extrrrrralucide…

Naïma fit mine de se concentrer.

– Je vois, oui, je vois… des lignes… des
points noirrrrrrrrrrs… Ah ? Qu'est-ce
que c'est ? Des notes de musique !
Toi, grrrrrrrrrrrande musicienne !
T'es chanteuse !

Idalina resta bouche bée.

Naïma éclata de rire.

– Je pourrais faire un numéro de médium, hein ?

– Comment, hic !, comment t'as fait ? bégaya Idalina.

Naïma pointa le doigt vers différents objets.

– Lecteur MP3, pastilles au miel pour la gorge et… ta guitare, espèce de nouille ! Pas très difficile de deviner que ton truc, c'est la musique !

Une des élèves de troisième année vint les chercher en leur annonçant qu'il était temps de descendre pour le dîner. Naïma se réjouit. Elle avait toujours faim.

Chapitre 3

... et une fille perdue dans l'aéroport

Un hurlement de rage retentit dans le hall de l'aéroport de Bangkok, en Thaïlande. Tout le monde se retourna. Sous le panneau où venait de s'allumer une longue série de « vol retardé », une fille blonde piquait une crise. L'hôtesse d'accueil qui se tenait à son côté posa la main sur son épaule.

— Je te l'avais dit, Alexa. Ce n'était pas

la peine d'attendre que ce soit affiché.

– Je voulais encore y croire... C'est pas vrai ! C'est le jour le plus important de ma vie et je vais le rater ! Je veux mourir !

– Allons, allons, ce n'est pas si dramatique. C'est un cas de force majeure, je suis sûre qu'à ta nouvelle école on comprendra.

– Pourquoi, pourquoi ça m'arrive à moi ? gémit Alexa.

– Ce n'est pas de chance, admit l'hôtesse. Mais rassure-toi, je me suis renseignée au service météo et ils pensent que la tempête sera passée d'ici six ou sept heures.

– Sept ! répéta Alexa. C'est un cauchemar !

– Inutile de rester plantée là. Viens avec moi. Nous avons une pièce réservée aux enfants non accompagnés. Tu y seras en sécurité et je te promets qu'on va s'occuper de toi comme si tu étais la reine d'Angleterre ! Ça te plairait, un bon repas chaud ? Ou tu préfères te reposer ? On peut te passer un film, aussi. De quoi as-tu envie ?

– Retourner en Australie, rétorqua Alexa, très abattue.

L'hôtesse la prit gentiment par le bras et la conduisit dans une zone interdite aux passagers. On servit un délicieux repas à Alexa qu'elle n'apprécia pas à sa juste valeur.

– J'ai besoin d'un câlin pour me remonter le moral, déclara-t-elle.

Vous inquiétez pas, j'ai ce qu'il faut !
Alexa fouilla dans son sac à dos. Elle en sortit une peluche rose, un cheval ailé.

– C'est ton doudou ?

– Oui. Il s'appelle *Coconut*[4]. Sentez !
Alexa colla la peluche sous le nez de l'hôtesse. Celle-ci se recula en grimaçant.

4. Coconut *(en anglais) : Noix de coco.*

— Ouais, fit Alexa. Il sent mauvais.
Quand j'étais petite, ma mère me courait
toujours après pour me mettre de la
crème solaire. Le soleil est dangereux
dans mon pays. Alors, j'ai réfléchi.
Mon pauvre cheval à la peau rose allait
attraper des coups de soleil ! J'ai vidé
tous les tubes de crème parfumée à la
noix de coco dans le lavabo et j'ai fait
tremper Pégase dedans. Ma mère a dû le
laver cent fois, mais rien à faire. Depuis
ce jour-là, il empeste la noix de coco !
C'est pour ça qu'il a changé de nom.
L'hôtesse trouva l'histoire très amusante.
Alexa serra *Coconut* contre son cœur.

— Et s'il n'y a personne pour m'accueillir
à mon arrivée ? s'écria-t-elle soudain.

— C'est pour ce genre de chose qu'on a
inventé le téléphone, répondit l'hôtesse.
Nous allons prévenir tes parents.

– Oh non, surtout pas mes parents !

Papa était déjà vert à l'idée que je parte toute seule en avion, s'il apprend qu'il y a une tempête, il est capable de venir me chercher avec le *River Princess* [5] !

Alexa expliqua que son père était le capitaine d'un bateau, le *River Princess*, qui naviguait sur la rivière Adélaïde, en Australie. Il promenait des touristes curieux de voir sauter les crocodiles marins. Oui, elle avait bien dit : sauter ! Une spécialité australienne qui consistait à attirer les crocodiles avec des morceaux de viande et à les obliger à se propulser avec la queue pour les attraper !

– Et quand un monstre de 5 mètres jaillit hors de l'eau, je vous jure que votre sang se glace ! ajouta Alexa.

– Je n'en doute pas. Bon, as-tu le numéro de l'école dans tes affaires ?

5. River Princess *(en anglais) : Princesse de la rivière.*

Alexa acquiesça. Elle prit un classeur dans son sac et montra les feuilles soigneusement rangées dans des pochettes en plastique.

– Ça, c'est ma mère ! ricana-t-elle.
Elle a tout prévu ! Une page pour
chaque événement qui pourrait,
peut-être, se produire ! Regardez :
indigestion, allergies, maux de tête, etc.
Et là, personnes à contacter, hôpital
le plus proche de l'Académie, je plaisante
pas, ça y est vraiment… Y a même les
consignes à suivre en cas d'incendie !
Mais rien sur les pauvres voyageurs
coincés à Bangkok.

– C'est ta famille, sur les photos ?
demanda l'hôtesse.

– Oui. Papa, maman et mon frère.
Là, c'est mon cheval, Belize.
C'est lui qui va me manquer le plus…
Tenez, voilà le numéro de l'école.

L'hôtesse consulta sa montre et fit un
rapide calcul.

— Je vais tirer quelqu'un du lit ! remarqua-
t-elle. Avec le décalage horaire, c'est la
nuit là-bas. Je reviens vite.

En attendant, pour tromper son ennui, Alexa
gribouilla des têtes de petits bonshommes
sur la couverture de son classeur. Elle sourit
en admirant son œuvre. Bien malin celui qui
comprendrait la signification
de son dessin...

L'hôtesse réapparut. Elle avait parlé au directeur de l'Académie. Il n'y avait pas de problème. Son assistante viendrait chercher Alexa à l'aéroport. Malheureusement, il y avait aussi une mauvaise nouvelle. Le vent changeait de direction. Aucun avion ne serait autorisé à décoller avant au moins dix heures.

Alexa s'affala dans le canapé et soupira. Puis se redressa. Non ! Ce n'était pas dans son caractère de se décourager à la première difficulté ! Pas elle qui avait écrit en grand au-dessus de son bureau :

« *Change ce que tu peux changer.*

Accepte ce que tu ne peux pas changer. »

Et quand on ne peut pas, on ne peut pas. Voilà tout.

Bienvenue à l'Académie !

Idalina et Naïma avaient peu dormi à l'auberge de jeunesse. Elles avaient discuté jusqu'à ce que les filles de leur dortoir leur demandent de se taire. Elles se connaissaient à peine, n'avaient rien en commun et pourtant se sentaient comme des sœurs. La voix d'Idalina était une douce musique et charmait Naïma. Comme elle savait bien parler, la petite Espagnole, des maisons blanches d'Andalousie où se

reflétait le soleil brûlant, des oranges au
goût de miel, des ânes avec leurs pompons
multicolores, des fontaines dans les jardins
des palais ! Pour Naïma, qui habitait New York,
l'Espagne ressemblait à un royaume de conte
de fées. Idalina, quant à elle, s'amusait des
histoires de famille que sa nouvelle amie
lui racontait. Naïma avait quatre frères plus
jeunes qu'elle, des maîtres en bêtises de tout
genre. Erzulie, leur maman, riait plus qu'elle
ne grondait et les appelait les « garçons
catastrophe ». « Garçons catastrophe,
à table ! Garçons catastrophe, à la douche ! »
Quand enfin le sommeil s'empara d'elles,
Idalina et Naïma avaient le cœur léger
et le sourire aux lèvres.
Leur car était le dernier à arriver à l'Académie.
Naïma ouvrit des yeux grands comme
des soucoupes. Elle n'avait jamais vu
un endroit pareil.

— Je vais vivre dans un château...
murmura-t-elle.

Miss Daisy se présenta.
Elle recommanda le silence.
Les élèves déjà arrivés se
reposaient encore. Tout le
monde était fatigué. Les cours
ne commenceraient que le lendemain
pour laisser à chacun le temps de récupérer.
Naïma avait quelques difficultés à contrôler
son enthousiasme. Elle trouvait tout sublime,
même le carrelage. Et c'était tellement...
immense ! La chambre la plongea dans
un tel état d'excitation qu'Idalina craignit
qu'elle ne fasse une crise cardiaque.

— Tu ne te rends pas compte ! expliqua
Naïma. Je n'ai jamais eu de chambre à
moi ! Je couche dans le canapé du salon !
Ici, j'ai un vrai lit ! Un bureau ! Et ça...

La surprise la rendit muette. Elle venait

d'ouvrir une porte qu'elle avait prise pour celle d'un placard.

– C'est une salle de bains, remarqua Idalina.

– Rien que pour nous deux ? demanda Naïma, stupéfaite.

– Mais… tu n'as pas lu le dossier d'admission ?

– Si. Non. Enfin, pas la partie sur l'internat. Je m'en moquais de ça ! Je ne m'intéressais qu'à ce que j'allais apprendre ici !

Naïma s'effondra sur une chaise.

Et éclata brusquement de rire.

– Chut ! fit Idalina. Miss Daisy nous a dit de ne pas faire trop de bruit.

– J'ai envie d'aller me promener dans le parc. Il fait super beau !

– On a le droit de sortir ?

– On n'est pas en prison ! D'ailleurs,

y avait des filles allongées dans l'herbe.
T'as pas remarqué ?

– Non. On doit ranger nos affaires
d'abord.

Ce qui, dans l'esprit de Naïma, consistait
à tout jeter en vrac dans son armoire. Elle
se frotta les mains, comme pour signifier
« voilà, c'est fait », et se retourna. Elle resta
bouche bée. Idalina dépliait ses vêtements
pour les replier avant de les poser
délicatement sur les étagères. À ce
rythme-là, elle en avait pour des heures !
Naïma aperçut un objet au fond de la valise,
soigneusement enveloppé dans
une serviette.

– C'est quoi, ça ?

– C'est ma poupée, répondit Idalina.

Attention, c'est pas un jouet !

Naïma poussa une exclamation
d'admiration quand Idalina déroula

la serviette. La poupée portait un costume à la mode de Séville, une longue robe rouge ornée de volants, un châle brodé sur les épaules et les indispensables castagnettes. Le chignon était piqué d'une grosse fleur blanche.

– Les pois sur la robe s'appellent des *lunares*. En fait, en Andalousie, les femmes s'habillent comme les gitanes. Enfin, seulement pendant les fêtes… ou pour danser le *flamenco*[6] !

Un ombre passa sur le visage d'Idalina. Son père lui avait offert la poupée quand elle avait 6 ans. Et quelques mois après, il avait quitté la maison. Il téléphonait à Noël et envoyait une carte pour son anniversaire. Elle ne le voyait que très rarement.

– Comme ça, j'ai un peu de mon pays avec moi… dit-elle.

6. Flamenco *(en espagnol) : musique et danse populaires d'Andalousie.*

– Tu ne vas pas encore pleurer ?
s'inquiéta Naïma.

Idalina secoua la tête. Non, non !
Plus de larmes, juré !

– Et toi ? Tu as apporté quelque chose
de New York ?

– Un doudou, ça compte ?

– Bien sûr ! Montre !

Naïma fouilla dans son armoire et en sortit…
une longue chaussette à rayures roses et
vertes. Idalina leva un sourcil interrogateur.

– Madame Chaussette, annonça Naïma
solennellement. Sa sœur jumelle a eu un
tragique accident de machine à laver.
Elle s'est retrouvée par erreur
à bouillir avec le linge
blanc. Elle avait rétréci
et elle était toute
déformée à la sortie…
Maman n'était pas

très contente, il y avait des taches de
couleur partout sur les draps. J'adorais
mes grandes chaussettes et j'étais
affreusement triste. Alors, j'ai eu l'idée
de garder la survivante et d'en faire
ma confidente !

Naïma enfila la chaussette sur son bras. Elle
glissa les doigts dans la pointe et le pouce
dans le talon. Elle prit une voix aiguë.

– Hello ! Je suis Madame Chaussette et
je connais tous les secrets de Naïma !
Tu veux aussi être mon amie ?

– Oui ! C'est fou, quand tu bouges la main,
on croirait vraiment qu'elle parle !

– Pourquoi tu replies tes vêtements ?
demanda Madame Chaussette. C'est idiot !

– Eh ! T'exagères ! protesta Idalina.

– Ah, c'est comme ça ! Je dis toujours
la vérité, tant pis si ça ne plaît pas !

Idalina essaya d'avoir l'air fâché, mais

Madame Chaussette était trop drôle. Elle sursauta quand une jolie sonnerie retentit dans le couloir.

– Qu'est-ce qui se passe ? s'affola Idalina.

– Le déjeuner ! s'écria Naïma. Chouette ! Je meurs de faim !

***

Au réfectoire, Naïma posa un yaourt et une coupelle de salade de fruits sur son plateau, puis regarda autour d'elle. Idalina, indécise, hésitait entre une pomme et du fromage.

– Y a de la place là-bas, indiqua Naïma. Quand tu te seras décidée, rejoins-moi. En traversant le réfectoire, elle observa les autres élèves. Elle saisit au passage des bribes de conversation : « Tu viens d'où ? J'aurais dû prendre les frites… C'était comment, tes vacances ? » Naïma s'arrêta devant une table où trois filles étaient installées. L'une d'elles,

une blonde aux yeux maquillés, l'examina
de haut en bas.

– Ce n'est pas libre.

– Ah bon ? Ce n'est pas grave ! répondit
Naïma.

Elle fit demi-tour et chercha ailleurs.
Pas assez vite pour ne pas entendre les
quelques phrases échangées dans son dos.

– Pourquoi tu lui as dit ça, Ruby ?

On n'attend personne !

– T'as pas vu ses fringues, Michelle ?

Ils acceptent vraiment n'importe qui ici !
Naïma se mordit les lèvres. Elle prit sur elle
et garda son calme, pour une fois. Elle ne
désirait pas s'attirer des ennuis pour une
peste qui n'en valait pas la peine. Elle se
dirigea vers une autre table où il n'y avait que
deux garçons qui semblaient bien s'amuser.
Le plus jeune se leva d'un bond, s'inclina
solennellement et tira une chaise vide.

– Mademoiselle ! Nous sommes très honorés ! Et… oh… elle est avec toi, la princesse aux yeux verts ?

Idalina, qui arrivait à cet instant, devint écarlate.

– Mickael ! Tu la mets mal à l'aise ! Faites pas attention à lui. Salut, moi, c'est Johannis. Et en toute modestie, je suis un génie.

– En maths, seulement ! ajouta Mickael. Pour le reste, il est nul.

– Dit le bouffon qui ne sait compter que jusqu'à trois, rétorqua Johannis.

– À quoi me servirait un quatre ou un cinq ? Je suis magicien et je n'ai besoin que de un, deux, trois, abracadabra !

– Un magicien ? Sans blague ? demanda Naïma, hilare.

– Absolument ! À ce propos, il me faut une assistante. Est-ce que la princesse voudrait bien être ligotée, enfermée dans une boîte et découpée à la scie ?

– Non, merci, répondit Idalina.

Le déjeuner se déroula dans la bonne humeur. Mickael et Johannis s'envoyaient des piques sans cesse mais il était clair qu'ils étaient d'excellents amis. Naïma s'amusait beaucoup en leur compagnie. Idalina se contentait d'écouter, ce qui ne l'empêchait pas de rire souvent.

Miss Daisy, armée de son indispensable sifflet, apparut dans le réfectoire. Guidé par un magnifique labrador noir, un homme aux cheveux gris se tenait à son côté. Il était aveugle. Le silence se fit soudain.

– Bonjour ! Je suis M. Meyer, votre directeur. Rassurez-vous, je ne vais pas vous ennuyer avec un long

discours. Cependant, je tiens à vous
parler de quelqu'un de très important,
Frederik Bergström. Il est né en Suède
en 1926, dans une famille de pauvres
paysans.

Or il se trouve que Frederik avait un
don incroyable…

M. Meyer fit une légère pause et sourit.

– Un don pour les affaires ! Il est devenu très riche ! Au lieu de s'acheter des maisons, des voitures ou des avions, il a créé une fondation. Il a envoyé des gens dans le monde entier à la recherche d'enfants remarquables. Des enfants comme vous. Et voilà pourquoi vous avez été choisis parmi des milliers de candidats ! La chance n'y est pour rien. Vous ne devez votre présence ici qu'à votre travail, à votre détermination et à votre talent.

Il s'interrompit quelques secondes puis ajouta :

– Bienvenue à l'Académie internationale Bergström !

Chapitre 5

Des professeurs très différents

P our laisser aux élèves le temps de se reposer, les cours ne débutaient vraiment que le lendemain. En revanche, ils rencontrèrent sans attendre leur professeur principal. Kumiko fit ainsi la connaissance de Maître Wang, un célèbre peintre chinois qui avait choisi de consacrer sa vie à former de futurs artistes. Maître Wang était un vieux monsieur de

70 ans, toujours de bonne humeur et d'une politesse exquise. Il appelait les enfants « ses disciples » et les traitait avec respect. Contrairement aux autres professeurs, Maître Wang ne mit pas aussitôt ses élèves au travail. Il leur offrit un chocolat chaud et des petits gâteaux.

> – « *Jianke ru weike, qingren hai ziqing* »[7], dit Maître Wang. « On accueille un invité comme si on l'était soi-même, en méprisant autrui, on se méprise soi-même. »

Ce fut donc autour d'un goûter que Kumiko reçut sa première leçon sans en avoir conscience. Car, au fil d'une conversation amicale, Maître Wang amena peu à peu ses disciples à regarder chaque chose, y compris la plus ordinaire, comme digne de leur intérêt. Une petite feuille de bambou peinte d'un geste vif devenait une œuvre

---

7. *Proverbe chinois.*

d'art. Une minuscule fourmi dessinée au crayon se transformait en une déclaration d'amour à la nature tout entière. Le pic d'une montagne émergeant des nuages, et c'était la poésie du monde que l'on contemplait sur une simple feuille de papier de riz.

Kumiko ressortit de sa salle d'étude les yeux brillants. Elle était impatiente de retrouver Rajani pour lui parler de cet homme extraordinaire. Son amie, quant à elle, vivait une expérience bien différente...
Mme Jensen avait été danseuse étoile du Ballet royal danois. Sous une apparente douceur, Mme Jensen était dure. Elle avait proposé à ses nouveaux élèves de danser ce qu'ils souhaitaient. L'un des deux garçons

de la classe s'était lancé dans un rock acrobatique qui avait laissé Mme Jensen pour le moins perplexe. Néanmoins, elle apprécia l'enthousiasme et le sens du rythme.

Sur l'estrade se présenta Ruby Prentice dans un ravissant tutu, son impeccable chignon piqué d'épingles dorées. Mme Jensen tiqua. On n'était pas supposé porter un costume de scène pendant les cours !

Ruby glissa son CD dans le lecteur. Rajani reconnut *Le Lac des cygnes* de Tchaïkovski. Ruby ne manquait pas de culot pour oser s'attaquer à un ballet aussi difficile ! Dès les premières mesures, il devint évident que Ruby était plus que douée. Rajani se sentit minable. Jamais elle ne saurait danser comme ça. Discrètement, elle observa Mme Jensen. Celle-ci hochait souvent la tête d'un air approbateur. Rajani soupira.

Elle avait du chemin à parcourir avant
d'arriver à la hauteur de Ruby !

— Merci, miss Prentice, dit Mme Jensen
à la fin de la démonstration. Excellente
technique. Remarquable enchaînement
des pas sans à-coups, sans fautes...
Vraiment parfait.

Ruby afficha un sourire satisfait. Elle avait
l'habitude de recevoir des compliments.
Normal, elle était la meilleure ! Puis le
verdict tomba.

— Mais je n'aime pas.

Rajani, sidérée, regarda le professeur.
Le sourire de Ruby s'effondra.

— Que... quoi ? bégaya-t-elle.

— Oh, c'est très bien de posséder
une bonne technique. C'est même
indispensable... Le problème, c'est que
ça n'est que ça, miss Prentice. Vous avez
choisi la mort du cygne. Que pensez-vous

que le chorégraphe a voulu exprimer ?
Ruby haussa légèrement les épaules.

– Ben… sa mort. C'est tout !

Mme Jensen posa la question aux autres
élèves. Comme personne ne prenait la
parole, Rajani répondit.

– La douleur. La princesse-cygne meurt de
chagrin car elle a perdu son amoureux.

– Merci, miss Shankar. Avez-vous lu la
souffrance sur le visage du cygne ? Pas
moi. Avez-vous été touchée par l'infinie
tristesse de chacun de ses gestes ? Pas
moi. Et pour cause. Il n'y avait aucun
sentiment dans toute cette perfection,
miss Prentice. Il n'y a pas que le corps
qui compte. Je veux voir votre esprit !

Mme Jensen se tourna vers Rajani et la
pria de se préparer. Dur de passer après
une telle leçon ! Rajani avait choisi le
genre dans lequel elle était le plus à son

aise, le ***bharatanatyam***, l'une des danses traditionnelles indiennes. Portée par la douce mélodie du ***sitar***[8], elle enchaîna les figures aux pas incroyablement élaborés, tout en souplesse mais avec vigueur. Quand elle dansait, Rajani quittait la réalité et entrait dans le monde des légendes de son pays. Dans le mouvement gracieux de ses mains, elle racontait une histoire, celle de Nala et de son épouse Damayanti. Nala, ensorcelé par Hali le génie du mal, erre dans les bois... Damayanti, désespérée, se réfugie dans le palais de son père... À l'heure où le soleil se couche, un chant s'élève dans le jardin.

« *Oiseaux du soir et vous, étoiles, réconfortez l'âme affligée qui s'en va seule, triste amoureuse, et cherche en vain son bien-aimé...* »

Dans le chanteur, Damayanti reconnaît Nala, elle se jette à son cou et l'enchantement est rompu.

8. Sitar : *instrument de musique à cordes indien qui ressemble un peu à une guitare.*

Rajani referma les bras. Un impressionnant silence régnait dans la pièce. Tous, même Ruby, avaient été transportés ailleurs, l'espace d'un instant.

Mme Jensen s'éclaircit la gorge.

– Voilà ce que je voulais voir, dit-elle. C'est ça. C'est ça, l'esprit !

***

Pendant ce temps-là, Idalina prenait son premier cours de chant. La Signora Bianca Della Torre ne correspondait pas du tout à l'idée que l'on se faisait d'une cantatrice. Elle était maigre comme un clou. Pourtant, quand elle chantait les grands airs d'opéra, les murs tremblaient. Et à ce moment précis, c'était ses élèves qui tremblaient… La Signora appuya son poing entre les omoplates d'Idalina.

– Tiens-toi droite ! On reprend !
Le pianiste acquiesça et joua une suite d'accords. Idalina recommença le dur exercice des vocalises. De nouveau, la Signora Della Torre l'interrompit.

– Le menton levé ! Les bras le long du corps !
Déjà proche de la panique, Idalina avala sa salive de travers et toussa. Le professeur tapa impatiemment sur le couvercle du piano. Rouge jusqu'aux oreilles, Idalina se lança et monta jusqu'au contre-ut.

– On respire avec le ventre ! Là !
La Signora posa la paume bien

à plat sous les côtes d'Idalina.

– Je veux sentir le ventre se gonfler ! Allez !

Couac. Une fausse note. Atterrée, Idalina
cherche le réconfort dans le regard du gentil
pianiste. Il inclina la tête, un peu désolé.

– On reprend ? demanda-t-il.

– Pas de temps à perdre, répondit
la Signora. Suivant !

Idalina lutta pour ne pas fondre
en larmes. Elle ne se rendit
même pas compte que
ses camarades passaient
aussi à la moulinette.
Elle pensa que cette
femme était odieuse,
cruelle ! Elle se trompait.
La Signora Della Torre
avait simplement une
méthode particulière
d'enseigner. Ces enfants

étaient doués et, malheureusement, ils
le savaient. Ils arrivaient, persuadés qu'ils
n'avaient rien à apprendre. Ils s'imaginaient
déjà stars à la télé ! Alors qu'en réalité
leur talent était gâché par de mauvaises
habitudes, des manies ridicules et beaucoup
d'insolence. D'un bon coup de brosse,
Bianca faisait le ménage et balayait leurs
illusions. Ils se présenteraient au prochain
cours en ayant compris qu'ils étaient là pour
travailler. Et ils découvriraient que la Signora
n'était pas un dragon prêt à les dévorer.
Mais, pour l'heure, Idalina l'ignorait. Elle
quitta la classe, complètement bouleversée.
Elle s'égara dans les couloirs. Quand enfin
elle trouva l'escalier, elle ne parvint pas à
le descendre tant ses jambes tremblaient.
Alors, elle s'assit sur la première marche. Elle
avait besoin de Naïma. Idalina s'agrippa aux
barreaux de la rampe, se releva et partit à la

recherche de son amie. Les élèves, un peu
excités, sortaient des salles en se bousculant.
Idalina ne reconnaissait personne et de
Naïma, nulle trace. Car celle-ci n'était pas
dans le bâtiment.

Elle se trouvait derrière l'école, où était
dressé un chapiteau. Un véritable cirque !
Naïma explosa de joie. Une piste ronde, des
gradins, des trapèzes ! C'était incroyable.

    – Cool ! s'écria Mickael en examinant
le matériel. Une malle des Indes !
Tu connais ? C'est un classique.

    – Y a un double fond, répondit Naïma.
Trop facile !

    – C'est la manipulation et la mise en
scène qui font les grands magiciens !
Mickael prit trois balles dans la boîte
d'accessoires et jongla avec. Il en fit
disparaître une.

    – Pas mal ! Où l'as-tu cachée ?

La balle réapparut entre l'index et le majeur du garçon. Naïma applaudit. Mickael était très habile. Quelqu'un écarta les pans du rideau rouge qui fermait les coulisses. Naïma écarquilla les yeux. Un homme s'avança sur la piste, un perroquet gris du Gabon sur l'épaule.

– Bonjour ! Je suis M. Tremblay.

– Bonjour ! Je suis Bob ! lança le perroquet.

Les enfants éclatèrent de rire. Bob les regarda d'un air sévère.

– Salut, moi, c'est Mickael.

– Mickael, répéta Bob. Joli !

Après ça, tout le monde essaya de faire dire son nom par le perroquet. Mais Bob n'était pas disposé. M. Tremblay mit fin au chahut et demanda à chacun quelle était sa spécialité. Puis il expliqua qu'il était important d'être un artiste complet. Même si l'on souhaitait devenir clown,

il fallait apprendre à marcher sur un fil.
Un prestidigitateur acrobate ferait preuve
d'originalité. Et ainsi de suite.

– Au cirque, il est rare que l'on puisse
s'adresser au public. C'est pourquoi mon
premier cours portera sur le mime. Vous
devez savoir vous exprimer sans paroles.
Et votre public, c'est Bob ! Débrouillez-
vous pour qu'il comprenne que vous
voulez qu'il entre dans la malle des Indes !
Attention ! Interdiction de l'appeler ou
de prononcer le moindre mot !

L'exercice se révéla impossible à réussir. On
avait beau gesticuler, montrer le coffre du
doigt, ouvrir et fermer le couvercle, faire des
grimaces, Bob ne bougeait pas d'une plume.

– Mais on peut pas ! se plaignit Naïma.

M. Tremblay eut un sourire amusé. Il posa
Bob sur son perchoir, marcha jusqu'à
la malle, s'assit dedans et tendit le bras.

Aussitôt le perroquet vola vers lui.

– Et voilà ! Bob est à l'intérieur !

– C'est de la triche ! protesta l'un des élèves.

– Non, répondit M. Tremblay. C'est une démonstration de ce que je vous disais plus tôt. Vous avez cru que je jouerais les mimes et vous avez assisté à un numéro de dressage ! En fait, j'ai fait les deux en même temps ! Étonner les spectateurs, c'est gagner leur cœur.

– Mickael, joli ! cria Bob.

– Ah ! fit M. Tremblay. J'ai l'impression que Bob a décidé qu'il avait un nouvel ami.

Mickael sourit de toutes ses dents. Avoir un perroquet pour copain, ça lui plaisait bien !

Chapitre 6

Ennemies

Idalina s'effondra sur un des bancs dans le hall de l'école. Elle ne parvenait plus à lutter contre les larmes. Les élèves passaient devant elle sans lui prêter la moindre attention.

– Idalina ? Qu'est-ce qui t'arrive ?

Naïma avait aperçu son amie au moment où elle franchissait la porte. La petite Espagnole tendit le bras vers elle. Elle hoqueta, la gorge serrée par les sanglots.

– Quoi ? s'affola Naïma. Quoi ?

– Mm, mm, je veux rentrer… mm,
chez moi !

– Pourquoi ?

– Mm, ma prof, mm, elle est horrible !
Mm, mm, méchante !

Naïma s'assit près d'elle et la prit par les
épaules.

– Ça ne peut pas être aussi affreux que ça,
quand même.

– Si ! Je veux, mm, ma… mm,
MAMAAAAN !

Le cri déchira l'air. À l'instant précis où Ruby
et ses deux copines, Michelle et Jennifer,
descendaient l'escalier. Ruby s'arrêta net
au milieu du hall. Si elle n'avait pas été aussi
humiliée par Mme Jensen, elle aurait sans
doute continué son chemin. Elle avait besoin
de se venger sur quelqu'un. Quelle meilleure
victime qu'une petite fille en pleurs ?

– Mamama, ma maman ! se moqua-t-elle. Ruby avait des talents de comédienne. Elle faisait semblant de pleurnicher, reniflait bruyamment et beuglait des « maman » sur un ton tragique. Ses mimiques déclenchèrent des rires parmi les élèves. Comme ça ne suffisait pas, elle en rajouta encore.

– Ouh, le bébé ! Ouh, le bébé qui appelle sa mamama, maman !

Humiliée, Idalina pleura de plus belle. Naïma se redressa d'un bond. Elle avait reconnu la sale peste du réfectoire. Cette fois, elle n'allait pas se dégonfler ! Elle se planta devant Ruby.

– Toi, je te conseille de la fermer ! dit-elle.

– Oh ! là, là ! Ce que j'ai peur ! railla Ruby. Un épouvantail qui parle ! Ah non... C'est une fille habillée comme un épouvantail ! Elle s'avança d'un pas pour bien lui montrer qu'elle n'était pas impressionnée.

– Espèce de poison ! lança Naïma en la repoussant violemment.

Ruby perdit tout contrôle et essaya de la frapper. Naïma s'écarta prestement et le poing rageur rata sa cible.

– Fais gaffe ! prévint Michelle.

V'là Mme Beckett !

Ruby analysa la situation en une fraction de seconde. À la grande surprise de Naïma, elle se laissa tomber par terre et, saisissant son

mollet à deux mains, se mit à hurler
de douleur.

– Ah, aaaaaaaah ! J'ai mal !
Mme Beckett accourut, affolée par
le spectacle.

– Ruby ! Qu'y a-t-il ? Tu as glissé ?

– Elle m'a donné un coup de pied !
Ah, ah ! Je souffre !
Michelle pointa un doigt accusateur
vers Naïma.

– C'est elle, madame !

– C'est pas vrai ! protesta Naïma.

– Si, c'est vrai ! rétorqua Michelle.
Mme Beckett se pencha pour aider Ruby à se
relever. Comme par hasard, les autres élèves
s'étaient envolés à l'arrivée du professeur.
Seule Idalina était encore présente. Elle
essuya ses joues humides et, rassemblant
son courage, elle s'approcha.

– Je ne vais plus pouvoir danser ! gémit

Ruby, en équilibre sur une jambe. Aïe, Aïe !

– Conduisez votre amie à l'infirmerie, ordonna Mme Beckett. Au fond du couloir central. Quant à toi...

Elle se tourna vers Naïma, les sourcils froncés.

– Chez le directeur !

– Mais, je ne... bégaya Naïma.

– Ce sont elles, les menteuses ! s'exclama Idalina en indiquant les trois filles qui s'éloignaient.

– On ne me la fait pas, à moi. Allez ouste ! Chez M. Meyer !

Idalina s'accrocha au bras du professeur et supplia :

– Non, non ! Madame ! C'est ma faute !

– Tu tiens vraiment à te retrouver aussi chez le directeur ? demanda Mme Beckett d'un air menaçant. Tu n'y es pour rien. J'ai bien vu que tu étais là-bas, sur le banc !

Naïma regarda Idalina et secoua la tête. Insister

davantage ne ferait qu'aggraver les choses.
Mme Beckett croyait connaître la vérité.
Comme si elle allait écouter une gamine qui
osait prétendre qu'elle se trompait ! Intimidée,
Idalina resta figée sur place. Tristement,
Naïma suivit le professeur d'anglais.
Elle s'imaginait déjà renvoyée de l'école.

**

Pendant que la pauvre Naïma se dirigeait
vers le bureau de M. Meyer, les pestes
rigolaient dans le couloir. Michelle s'arrêta
à quelques mètres de l'infirmerie.

    — Il faut que Ruby se fasse examiner,
    dit-elle.

    — Mais elle n'a rien ! répliqua Jennifer.

L'infirmière va s'en apercevoir !
Ruby détailla la tenue vestimentaire de
Michelle. Celle-ci portait une minijupe
genre kilt écossais.

– Donne-moi la grosse épingle qui ferme ta jupe, réclama Ruby.

Michelle obtempéra. Sans hésitation, Ruby piqua l'épingle dans son pantalon en soie du Vietnam et tira d'un geste sec. Le tissu se déchira juste au-dessous du genou. Serrant les dents, elle se griffa la peau avec la pointe jusqu'à ce que le sang perle.

– Voilà, dit-elle. Maintenant, on peut y aller !

Michelle fit la moue.

– Si Mme Beckett parle avec l'infirmière, elle va se douter qu'on l'a menée en bateau.

– Aucun risque ! ricana Ruby. Mme Beckett est une cruche. On lui ferait avaler n'importe quoi !

– Vous pensez qu'on va la jeter dehors, la petite Black ? demanda Jennifer.

– J'espère bien ! répondit Ruby. Allons-y pour la grande scène du deuxième acte. Soutenez-moi… Aïe, aïe ! Ce que j'ai mal !

Michelle se retint de rire en frappant à la porte. Les trois complices disparurent dans l'infirmerie. Aucune d'elles n'avait remarqué qu'une des fenêtres du couloir était ouverte. Or, assise dans l'herbe sous cette fenêtre, il y avait une fille. Une fille qui avait tout entendu.

* * *

Il n'y avait personne quand Naïma et le professeur d'anglais entrèrent dans le bureau de l'administration. Miss Daisy avait laissé un message sur le tableau d'affichage : « partie chercher une élève à l'aéroport ». M. Meyer était également absent.

– Il a dû sortir le chien, supposa
Mme Beckett. Assieds-toi là.
Naïma obéit. L'attente fut courte. Un
aboiement bref annonça le retour du
directeur. Le labrador prévenait son
maître qu'il avait de la visite. M. Meyer
le récompensa d'une caresse.

– C'est bien, Jazz. Qui est là ?

– C'est moi, monsieur.
Concordia.

Elle expliqua les raisons de
leur présence. Naïma
bouillonnait. N'y tenant
plus, elle s'exclama :

– Ça ne s'est pas
passé comme ça !
Le directeur leva
la main.

– C'est toujours le
même son de cloche,

dit-il. Ce n'est pas moi, c'est l'autre ! Je sais, par expérience, que les torts sont souvent partagés. Ce que je voudrais, Naïma, c'est que tu réfléchisses à ta propre responsabilité. Es-tu sûre d'être totalement innocente ?

Naïma se mordilla les lèvres.

– Je lui ai crié dessus, admit-elle, parce qu'elle se moquait de mon amie. Et je l'ai peut-être un peu poussée… Mais elle a fait exprès de tomber !

– Ben voyons ! ricana Mme Beckett. Comme si on allait le croire ! Tu viens de l'avouer : tu l'as poussée, voilà !

M. Meyer appuya sur le bouton d'un appareil posé sur son bureau.

– Poste 233, dit-il.

Une voix résonna dans le haut-parleur.

– Ici, l'infirmerie.

– Emma, tu as soigné Ruby Prentice ?

– Quelle douillette, celle-là ! répondit Emma en riant. Elle m'a fait un de ces cinémas pour une simple égratignure !

Le directeur sourit et la remercia. Naïma observa le professeur d'anglais. Celle-ci semblait assez fâchée.

– Hum... Tant mieux si ce n'est qu'un petit bobo. Il n'empêche qu'on ne peut tolérer des gestes de violence ici !

– C'est vrai, acquiesça M. Meyer. Alors, Naïma, quelle punition penses-tu mériter ?

– Moi ? Moi, je dois vous le dire ? répondit-elle, éberluée.

– Oui. Je veux que tu évalues toi-même la gravité de tes actes.

Naïma soupira. Puis, bravement, elle déclara :

– Je mérite d'être renvoyée.

Mme Beckett haussa les épaules.

– Faut quand même pas exagérer !
Je propose que tu sois privée de la
fête prévue samedi. Tu resteras dans
ta chambre pendant que les autres
s'amuseront.

– Cela me paraît juste, approuva
M. Meyer. Tu es d'accord ?

– Oui ! s'écria Naïma.

– La question est réglée. Merci de la
raccompagner, Concordia.

Naïma n'avait jamais rencontré un directeur
d'école comme celui-là. Elle n'en revenait
pas de s'en tirer à si bon compte !

***

Très perturbée par la conversation qu'elle
venait de surprendre, Kumiko contournait
le bâtiment au pas de course. Qui étaient

ces filles qui discutaient dans le couloir ?
Et quelle horrible chose avaient-elles faite ?
Kumiko ne savait pas de quelle manière,
mais il fallait qu'elle agisse ! Si seulement
elle trouvait Rajani…

Beaucoup d'élèves profitaient du beau
temps pour traîner dans le jardin. Le hall
était désert quand Kumiko franchit le seuil.
Du moins le crut-elle d'abord. Elle tourna la
tête. Quelqu'un pleurait. Une silhouette frêle
se détachait sur le mur d'un recoin sombre.
Kumiko s'approcha.

    – Ça ne va pas ? s'enquit-elle.

Idalina ravala ses larmes puis demanda
une chose étrange.

    – À ton avis, M. Bergström déteste
les lâches ?

    – Hein ? grogna Kumiko.

    – J'ai rien fait pour aider mon amie.
Enfin, pas assez… J'aurais dû… Tu peux

me conduire chez le directeur ?

– Holà ! Du calme ! Ne nous précipitons
pas ! Raconte-moi toute l'histoire
d'abord !

Idalina regarda la Japonaise et vit que son
intérêt était sincère. Et puis, elle avait l'air
sympathique. Entre deux sanglots, Idalina
lui expliqua ce qui s'était passé.

– C'est la vérité, je le jure !

– Je n'en doute pas. Et je comprends
le sens de ce que j'ai entendu il y a
cinq minutes. Parce que, figure-toi,
j'étais assise dehors et...

Après le court récit de Kumiko, Idalina
se sentit mieux.

– Tu accepterais de tout répéter
à M. Meyer ?

– Évidemment ! s'exclama Kumiko. Je ne
supporte ni l'injustice ni la méchanceté !
Allez, viens !

Elle lui tendit une main qu'Idalina saisit avec gratitude. Elles n'avaient pas traversé le hall que Naïma et Mme Beckett apparaissaient. Idalina eut un mouvement de recul.
Elle avait peur du professeur.

> — Voilà, dit Mme Beckett. J'espère que c'est la dernière fois que j'ai affaire à toi !
> — Oui, madame, répondit Naïma. Merci.

Merci ? Idalina resta bouche bée. Et fut encore plus stupéfaite quand Mme Beckett ajouta :

> — Contrôle-toi, à l'avenir. La colère est très mauvaise conseillère.
> — Je m'en souviendrai. Promis.

Puis Naïma fit un petit signe à Idalina et lui sourit.

Chapitre 7
Alexa arrive enfin

Miss Daisy entra dans l'aéroport.
Elle chercha la photo dans son
dossier. Elle repéra la ravissante
blondinette aux yeux bleus, sagement
assise près du comptoir de la compagnie
aérienne. Miss Daisy était un peu étonnée.
Elle s'attendait à trouver une fille au look
sportif jean-baskets et elle découvrait
une gamine genre *fashion victim*[9],
cache-cœur rose, grands anneaux aux

9. Fashion victim *(en anglais) : victime de la mode.*

oreilles et vernis à ongles pailleté !

– C'est toi, Alexa ? demanda-t-elle. Je suis Miss Daisy, de l'Académie Bergström.

Au lieu de répondre aussitôt à la question, Alexa prit l'étiquette qu'elle avait autour du cou et lut :

– Enfant non accompagné. Alexa Clark.

C'est ce qui est écrit.

Puis elle se mit à crier en direction de l'hôtesse d'accueil :

– Hé ! On vient récupérer le colis ! Il faut signer quelque part ?

– Non, ça va ! répondit l'hôtesse.

– À force d'être trimbalée comme un paquet, je ne suis plus sûre d'être humaine, expliqua Alexa à Miss Daisy.

– Je comprends. Tu as dû passer de durs moments ces dernières heures !

– Ben, en fait, je me suis beaucoup amusée à Bangkok. Au revoir, Sofia, et merci pour le café au lait !

L'hôtesse lui envoya un baiser avec la main.

– Tu es à ton aise, partout, hein ?

remarqua Miss Daisy.

Alexa hocha la tête.

– Je ne suis pas timide. Je parle à tout
le monde, n'importe où. On y va ?

Miss Daisy l'aida à porter ses bagages. Dans
la voiture, Alexa commença à lui raconter
son aventure à Bangkok. Au début, elle était
un peu déprimée de manquer la rentrée
à l'école. La tempête faisait rage et c'était
assez impressionnant de voir les pistes
balayées par des torrents de pluie.

– Il y a des boutiques géniales dans
cet aéroport, dit-elle. Et les gens sont
tellement gentils ! J'ai dû prendre trois
kilos. On n'a pas arrêté de me donner
de la nourriture. Vous saviez qu'il y a un
magasin avec des tas de sales bêtes ?

– Comment ça ?

– Oui, oui ! s'exclama Alexa. C'est trop top, cet endroit ! Des mantes religieuses géantes, des cafards monstrueux, des papillons de la taille d'un corbeau, des mygales pleines de poils ! M. Li, le propriétaire, il est chinois et avant, il vendait ses bestioles à Singapour. Il m'a fait cadeau d'un énorme scorpion noir de Malaisie !

Miss Daisy sursauta et regarda dans son rétroviseur. Y avait-il quelque chose qui bougeait dans les valises ?

– Mais tu… tu ne l'as pas accepté, j'espère ? demanda-t-elle.

– Ben si. Il est magnifique. Ah, oh, j'ai pigé ! Non, non, ne vous inquiétez pas ! Il est mort ! Il est dans une jolie boîte en verre. Je vais l'accrocher dans ma chambre.

– Ta colocataire sera sûrement ravie, commenta Miss Daisy.

– C'est qui ? Elle est sympa ? Elle monte à cheval aussi ?

– Elle s'appelle Michelle. Elle étudie l'art dramatique. C'est une comédienne, si tu préfères. D'après ce que j'ai vu, vous avez au moins un point commun. Elle adore les bijoux et les tee-shirts à la mode !

– Ça nous fera un sujet de conversation. Vous aimez les scorpions ?

– Pas vraiment.

– Et les reptiles ? J'habite à côté d'une rivière où vivent six mille crocodiles ! L'année dernière, on en a trouvé un qui mesurait 7,10 mètres. Un record !

– Heureusement que tu ne l'as pas emmené, il n'aurait pas pu entrer dans ta chambre.

– On ne peut pas dresser les crocodiles, dit sérieusement Alexa. Mais je regrette d'avoir laissé Belize à la maison.

– C'est un serpent ou une chauve-souris ? s'enquit Miss Daisy.

– C'est mon cheval ! répondit Alexa en riant. J'ai également un chien, quatre chats, deux chèvres, huit lapins, une tortue, vingt-cinq poissons tropicaux, non vingt-quatre, y en a un qui s'est fait bouffer par les autres, et une troupe de wallabies[10]. Eux, on ne les a pas invités, ils squattent dans le jardin.

– Jamais tu te tais ?

– Si. Quand je dors.

***

Au même moment, Rajani posait les doigts sur le front d'Idalina et le massait du nez jusqu'aux tempes.

10. Wallaby : kangourou de petite taille.

– Je te mets de l'huile de sésame,
expliqua-t-elle. Un antistress. Tu verras,
ça va te faire beaucoup de bien.

Naïma ramassa la boule en tissu avec
une queue en fourrure rose qui trônait
sur l'oreiller.

– C'est quoi, ça ?

– C'est Rien, répondit Kumiko. Vraiment.
C'est son nom. Je continue de penser que
je devrais parler au directeur.

– Non, je ne veux pas… c'est fini.

– Je ne suis pas d'accord ! protesta
Kumiko. Tu as été punie et c'est pas juste !

– J'ai mal réagi, dit Naïma. Je me suis
laissée aller à la colère. C'est tout moi,
ça… Et puis, être privée d'une fête,
franchement, ce n'est pas très grave !

– Mais c'est ma faute… murmura Idalina.

– La seule coupable, c'est cette Ruby
Prentice, remarqua Kumiko.

Idalina respirait profondément, les yeux clos. Elle se sentait apaisée. Rajani était très douée !

— Où as-tu appris à faire ça ? demanda Idalina. C'est super...

— Ma grand-mère m'a enseigné l'art des massages et des huiles de l'ayurvéda. C'est la médecine traditionnelle de l'Inde. Elle existe depuis des milliers d'années !

Un silence passa. Soudain, Naïma se mit à rire.

— Vous savez quoi ? Mme Beckett s'appelle Concordia ! Plus ridicule, tu meurs !

— Ruby, c'est pire ! dit Kumiko. C'est tellement prétentieux ! Pourquoi pas Diamant pendant qu'on y est ?

— Oh, attendez ! s'exclama Rajani, vous ne savez pas le plus marrant !

Avec drôlerie, elle leur raconta le cours de danse et comment Ruby avait été descendue en flammes par leur professeur. Bientôt, les quatre filles étaient écroulées de rire sur les lits.

– Ah, ça fait un bien fou ! s'écria Naïma. Merci !

– C'est quoi, cette histoire de fête ? s'enquit Idalina. Vous êtes au courant ?

Un des camarades de la classe de dessin en avait parlé à Kumiko. Le premier samedi de la rentrée était organisée une fête de bienvenue. L'idée était de permettre aux nouveaux élèves de discuter avec les anciens, de partager leurs expériences. Une façon de s'intégrer plus vite.

– Bof, fit Naïma. Je ne raterai pas grand-chose !

– Je te tiendrai compagnie, décida Idalina.

– Moi aussi ! ajouta Kumiko.

– Ce n'est pas la peine, je…

– Tatata ! coupa Rajani. On s'amusera ensemble ou pas du tout !

Idalina se frotta les paupières et soupira.

– Hé ! s'alarma Naïma. Tu ne vas pas pleurer ?

– Non, répondit Idalina. Plus de larmes, plus de jérémiades, plus de « je veux ma maman » et plus de « je veux rentrer chez moi ». Parce que…

Elle les regarda tour à tour, en souriant.

– Parce que maintenant j'ai trois amies.

Chapitre 8

Alexa découvre sa colocataire... et Nelson

M iss Daisy frappa à la porte puis ouvrit.

— Hello ? Michelle, tu es là ?

Personne, apparemment.

Elle entra, suivie par Alexa. Cette dernière mit ses poings sur les hanches. Michelle avait étalé ses affaires partout !

— Hum, fit Miss Daisy. Pas une fée du logis, celle-là...

– Qu'est-ce qui se passe ? demanda
une voix derrière elle.

Miss Daisy se retourna.

– Ah, parfait, te voilà ! Je te présente
ta colocataire, Alexa.

– Hein ? s'écria Michelle. Pas question !
Je préfère rester seule !

– Tu te crois à l'hôtel ? répondit
Miss Daisy, mécontente. Il y a deux
élèves par chambre, c'est comme ça
et pas autrement ! Alors, tu vas me
ranger ce fatras et faire de la place
à ta camarade ! Ça ira, Alexa ?

– Pas de souci !

Miss Daisy n'était pas inquiète. Alexa
n'était pas le genre à se laisser marcher
sur les pieds. En regagnant le bureau de
l'administration, Miss Daisy se souvint
du scorpion et se mit à rire. Elle regrettait
de ne pas être présente quand Michelle

découvrirait la charmante petite bête !

Alexa posa sa valise à plat sur le sol et son

sac à dos sur une des tables.

– C'est mon côté, dit sèchement

Michelle.

– Pas de problème. Je me mets là...

Sympa, ton minikilt !

– 450 dollars. C'est un KBF, minauda

Michelle.

Alexa grimaça. 450 dollars pour un bout

de tissu ?

– Un KBF ? répéta-t-elle. C'est quoi, ça ?

– Un Kawaii Blue Fashion. C'est la marque

à la mode ! Non mais, tu sors d'où ?

– Du **bush**[11] australien, répondit Alexa.

Moi, quand je veux une nouvelle paire

de bottes, je vais tuer un crocodile.

Michelle resta muette de stupéfaction.

Tranquillement, Alexa déplaça les

---

11. Bush *(en anglais) : végétation formée d'arbustes
et d'arbres isolés. En Australie, cette végétation
est très répandue.*

vêtements qui encombraient son lit, puis vida sa valise. Enfin elle sortit le scorpion de M. Li qu'elle posa sur une étagère. Michelle poussa un hurlement et monta sur sa chaise.

– Il n'est pas vivant, remarqua Alexa.

– Enlève ça de là tout de suite ! Alexa eut un petit sourire ironique et, joignant le geste à la parole, rétorqua :

– Ton côté... MON côté !

Michelle la foudroya du regard, ce qui n'eut aucun effet.

– Tu sais où sont les écuries ?

– Pourquoi est-ce que je le saurais ? grommela Michelle en descendant de son perchoir.

– Je trouverai. ***See you later***[12] !

---

12. See you later (*en anglais*) : *à plus tard, salut.*

Chapitre 8

***

Alexa aperçut le manège à la lisière du bois qui bordait le parc de l'Académie. Les chevaux prenaient le frais dans le pré voisin. Alexa les observa un instant. Elle repéra une belle jument alezane. Celle-là lui plaisait particulièrement. Elle décida d'entrer dans les écuries pour examiner la sellerie. Dès qu'elle franchit le seuil, de violents coups retentirent. Alexa s'arrêta et scruta la pénombre. Pas de doute. Un cheval à la robe foncée était enfermé dans un box. Alexa avança de quelques pas. La bête frappa de nouveau dans la porte close puis se réfugia dans un coin, les oreilles couchées en arrière, soufflant bruyamment. Alexa vit le blanc de ses yeux. Elle comprit que ce cheval était terrorisé.

– Du calme… murmura-t-elle. Chut… chut… Du calme…

La silhouette d'un homme de grande taille

se découpa en contre-jour derrière Alexa.

— Ah ! fit-il. Il me semblait bien que
Nelson ne s'agitait pas sans raison.
Ne bouge pas. Il est dangereux.
Je suis Rainer, ton professeur.
Car tu es Alexa Clark, n'est-ce pas ?

— Oui, monsieur. On dirait que Nelson
a une plaie sur le flanc. Qu'est-ce
qui lui est arrivé ? Un accident ?

— Pas de monsieur avec moi. Appelle-moi
juste Rainer. Non, Nelson ne s'est pas blessé.
Il était battu par son ancien propriétaire.
Alexa eut un haut-le-corps. Elle ne supportait
pas qu'on maltraite les animaux. Rainer lui
raconta comment Nelson avait été sauvé
par l'Académie. Son maître ne parvenait pas
à le dresser et, au lieu de faire preuve
de patience, il le fouettait jusqu'au sang.
Ce qui, évidemment, rendait Nelson encore
plus farouche.

– Nelson était considéré comme méchant et irrécupérable. On devait le piquer. C'est le vétérinaire qui nous a alertés. Son maître a eu le culot de nous demander de l'argent pour qu'on le débarrasse de son cheval !

– C'est ignoble de se conduire comme ça ! Pauvre Nelson...

– Je te vois venir à des kilomètres, répondit Rainer. N'y pense même pas !

– À quoi ? s'étonna Alexa.

– Je vous connais, vous, les filles ! Vous lisez trop de ces romans à l'eau de rose où la séduisante héroïne réussit à dompter le bel étalon ! Dans la réalité, les choses ne se passent pas comme ça. Nelson peut te tuer d'une simple ruade. Et il le fera si tu as la stupide idée de l'approcher.

– Je vis dans un pays où il y a plein de bêtes sauvages, dit Alexa. J'ai appris qu'il valait mieux les regarder de loin ! Mais qu'allez-vous faire pour Nelson ?

– Le laisser dans son box, pour l'instant. On n'a pas le choix, il attaque les autres chevaux. Ce n'est pas de la méchanceté. Il a peur. Dans quelques semaines, Nelson se sera habitué à notre présence et il aura compris qu'on ne lui veut pas de mal. Ce n'est pas demain la veille que quelqu'un pourra le monter. Et peut-être même jamais.

Rainer invita Alexa à sortir pour ne pas perturber Nelson davantage.

– Si tu désires vraiment l'aider, parle-lui doucement chaque fois que tu es dans l'écurie. Et garde tes distances.

– Parler, ça, je sais ! plaisanta Alexa.

Jazz se trouve une amie

Idalina quitta M. Ramos, son professeur de guitare, en ayant envie de danser. M. Ramos était l'homme le plus gentil de l'univers ! La matinée s'était tellement bien déroulée qu'Idalina en aurait presque oublié la mauvaise journée précédente. Elle hésita entre se promener dans le parc et regagner sa chambre. Il était trop tôt pour se rendre au réfectoire. Le hasard décida pour elle. En passant devant une salle, elle

aperçut le piano. Elle jeta un coup d'œil.
La salle était vide, personne à l'horizon…
Le piano l'attirait comme un aimant. Elle
ne savait pas vraiment en jouer. Mais elle
était capable de plaquer quelques accords
comme l'accompagnateur de la Signora
Della Torre. Vu le désastre de la veille, un
peu d'entraînement ne lui ferait pas de mal.
Elle entra.

Au début, elle n'osait pas trop donner de la
voix. Puis elle prit de l'assurance et se lança
dans une série de vocalises. Sans couac !
Elle s'arrêta au *do*, deux octaves supérieures.

— Tu peux pousser jusqu'au *fa* sans
problème. Tu es bonne dans les aigus,
il faut travailler les graves. C'est normal
à ton âge.

Idalina retint un cri de surprise et se
retourna. Bianca Della Torre se tenait
sur le seuil de la porte.

– Ton ventre fonctionne un peu comme un soufflet pour ranimer un feu. Ta gorge est un conduit par lequel sort l'air qui permet à tes cordes vocales de vibrer.

Tu dois garder ta gorge détendue.

Si elle se serre, tu ne pourras pas tenir les notes. Laisse-moi la place au piano.

Il vaut mieux que tu sois debout.

Pendant vingt minutes, Idalina eut droit à un cours privé. Bianca était toujours aussi exigeante, mais elle se révélait une enseignante bienveillante, capable d'apprécier et de complimenter. Disparu, le dragon sans pitié qui dévorait les enfants tout crus ! Idalina était si concentrée qu'elle n'entendit pas la sonnerie qui annonçait le déjeuner. Bianca se leva.

– Bon. C'est l'heure, dit-elle. La suite, lundi !

– Merci, madame, répondit Idalina.

La Signora hocha la tête en souriant.

– C'est bien la première fois que je vois une élève faire des vocalises pendant son temps libre.

***

Idalina arriva en retard au réfectoire. Elle avait d'abord déposé sa guitare dans la chambre. Naïma lui avait réservé une chaise près d'elle. Trois tables plus loin, Ruby et ses deux copines grignotaient leurs feuilles de salade du bout des dents. Elles étaient au régime. Naïma les indiqua du doigt.

– J'ai envie d'aller taper sur l'épaule de Ruby et de lui dire : « Eh oui, je suis encore là, espèce de… »

Naïma faillit prononcer un très vilain mot.

– Chipie ? suggéra Rajani.

– Vieux chameau râpé, proposa Kumiko. Orang-outan en tutu. Sale…

– Poison ! compléta Naïma en riant
un peu trop fort.

Alexa se présenta alors qu'on commençait
à ranger les plats chauds. La dame de
service grommela et lui fit une remarque
désagréable.

– Fallait que je me change, rétorqua
Alexa. J'ai nettoyé les écuries ! Vous
n'auriez pas aimé l'odeur… Vous
inquiétez pas, je suis une rapide !

Elle empila n'importe quoi sur son plateau
en moins de trente secondes. Puis elle se
dirigea vers le groupe des pestes et s'installa
à côté de Ruby en la bousculant au passage.

– Pardon ! s'excusa Alexa. Ça va, Michelle ?
Qu'est-ce que tu penses de ma jupe
longue à volants ? C'est une FPM.

Michelle se pencha pour regarder
par-dessous la table.

– Je ne connais pas ça, FPM, dit-elle.

– Faite Par Maman ! répondit Alexa, moqueuse.

Ruby la dévisagea. Pauvre Michelle ! Être obligée de cohabiter avec une fille habillée par sa mère ! Mais quelle horreur !

– Tu vas avaler tout ça ? s'étonna Jennifer.

Alexa contempla les assiettes de ses voisines. De la laitue, trois tomates, deux rondelles de concombre. Pas un morceau de pain, pas de sauce.

– Heu… Je te donne ma crème caramel, si tu veux, proposa Alexa. Ou les biscuits.

– Non merci. J'ai un yaourt. Zéro pour cent…

– Le sucre, c'est très mauvais pour la
santé, déclara Ruby d'un air prétentieux.

– Mon arrière-grand-mère s'est gavée de
tartes aux pommes toute sa vie, rétorqua
Alexa. Elle joue encore au polo[13] !

Ruby se leva d'un mouvement brusque.
C'était plus qu'elle ne pouvait en supporter.
C'était déjà assez pénible de côtoyer les
autres élèves en classe. Rien ne l'obligeait à
partager son déjeuner avec cette sans-gêne !

– Jenny, commanda-t-elle, on s'en va !

– Mais je n'ai pas mangé mon yaourt,
protesta faiblement Jennifer.

– Tu sais parfaitement que tu as un kilo à
perdre, dit Ruby avec une certaine cruauté.

Jennifer soupira et obéit. Elle souffrait
d'un évident manque de confiance en elle.
Profitant que Ruby tournait le dos, Alexa
glissa les biscuits dans la main de Jennifer.
Celle-ci esquissa un sourire et s'empressa

13. Polo : jeu qui oppose deux équipes de quatre cavaliers
munis d'un maillet et d'une balle.

de cacher le petit sachet dans sa poche.

Alexa bâilla. La fatigue lui tombait dessus sans crier gare. L'après-midi promettait d'être rude. Surtout qu'il y avait un cours de maths… Ce n'était pas ça qui allait la tenir éveillée !

Elle observa les élèves autour d'elle. Elle se sentait seule. Il y avait peu de chances que Michelle devienne son amie. Tant mieux ! Cette bêcheuse ne lui plaisait guère.

En revanche, Alexa prenait un malin plaisir à la mettre en boîte.

Elle bâilla de nouveau. Oh ! là, là !

La sonnerie la fit sursauter. Alexa essaya de se secouer un peu. Mais elle traînait les pieds en quittant le réfectoire.

***

Le labrador noir se redressa, aboya brièvement, puis s'approcha d'Alexa en remuant la queue.

– Jazz, au pied ! commanda M. Meyer.
Alexa se demanda comment il avait deviné
que son chien s'était levé. Il avait sans doute
l'oreille fine.

– Voilà Alexa Clark, annonça Miss Daisy.
Hum… Il y a eu un petit… heu, incident.
Alexa s'est endormie pendant les
évaluations de maths.

– On n'a pas idée de nous coller un contrôle
le premier jour, aussi ! s'écria Alexa.
Miss Daisy lui fit de gros yeux. On ne
s'adressait pas au directeur sur ce ton !

– Les évaluations servent à déterminer
le niveau de connaissances d'enfants
qui viennent de tous les pays du monde,
répondit M. Meyer. Je suppose que tu as
expliqué à ton professeur que ton voyage
avait été particulièrement pénible ?

– C'est là, répliqua Miss Daisy, que
se situe le petit incident…

M. Meyer posa les mains à plat sur son bureau.

– J'imagine la scène… Alexa a dit… qu'on n'avait pas idée de coller un contrôle le premier jour ?

– Quelque chose comme ça, admit Alexa. Peut-être en moins aimable… Ce n'est pas entièrement ma faute, M. Brown m'a réveillée brusquement. Je crois que ce qu'il n'a vraiment pas aimé, c'est que toute la classe a éclaté de rire.

Miss Daisy se mordilla les lèvres. Elle avait du mal à garder son sérieux. Alexa l'amusait beaucoup, elle n'y pouvait rien ! L'Australienne ajouta :

– Moi aussi, j'ai un chien. Il s'appelle Bunbulama. C'est le nom d'un esprit faiseur de pluie chez les Aborigènes[14].

– C'est très intéressant, répondit M. Meyer.

---

14. Aborigènes : premiers habitants d'un territoire. On pense que les Aborigènes d'Australie sont arrivés dans ce pays il y a au moins quarante mille ans.

– Alexa a présenté ses excuses à M. Brown, expliqua Miss Daisy. Il les a acceptées mais il souhaitait quand même que vous interveniez.

– D'accord… Jeune fille, je pense savoir quel est ton problème. Tu parles trop, souvent à tort et à travers, et tu ne fais pas la différence entre un adulte et l'un de tes camarades. Ce n'est pas un manque de respect de ta part, c'est ta manière d'être. Malheureusement, les grandes personnes ne le comprennent pas toujours et cela t'attire des ennuis.

– C'est pas faux, approuva Alexa.

– Je compte sur toi pour te corriger. Les professeurs ne sont pas tes copains. Va te reposer, maintenant. Tu en as besoin.

– Oui, monsieur. Je peux sortir Jazz si ça vous arrange.

– Merci, ce n'est pas nécessaire.

– Ben, je suis désolée de vous contredire. Jazz se tortille depuis cinq minutes et regarde la porte avec insistance.

M. Meyer se pencha vers son chien.

– Alors, quoi ? Tu as oublié comment me prévenir ?

Le labrador se leva aussitôt et posa la patte sur le genou de son maître.

– Ce chien est trop poli, plaisanta Miss Daisy. Il ne voulait pas nous interrompre !

– J'ai du travail pour l'instant, remarqua M. Meyer. Alors, Alexa, si ton offre est encore valable…

– Oui, m'sieur ! Viens, Jazz !

Miss Daisy ne retint plus son rire dès qu'Alexa eut disparu, suivie par un Jazz enthousiaste.

Chapitre 10
Un moulin bien mystérieux

Les élèves profitaient du soleil pour traîner dans le parc. Assises dans l'herbe, Idalina, Kumiko, Rajani et Naïma discutaient gaiement.

– Tiens ! s'écria Naïma. C'est Jazz, là-bas ! Avec cette fille.

– Ce n'est pas celle qui s'est endormie pendant le cours de maths ? s'enquit Rajani. C'est bizarre, je croyais qu'elle serait punie… et elle promène le chien !

– M. Meyer n'est pas un directeur ordinaire, répondit Naïma.

– Jazz est trop beau ! s'extasia Idalina. J'aimerais bien avoir un animal. Maman a toujours refusé.

– Elle a l'air sympa, cette fille, dit Kumiko.

– T'es folle ! protesta Naïma. T'as pas vu qu'elle déjeunait avec Ruby ?

– Ce que j'ai surtout vu, c'est que Ruby était la première à ricaner quand M. Brown l'a disputée. Ça m'étonnerait qu'elles soient copines.

– Elle est toute seule, constata Idalina.

Rajani se leva brusquement.

– Tu as raison. Ce n'est pas pour me vanter, mais je me trompe rarement sur les gens. Je vais parler avec elle. Je saurai vite si elle est fréquentable !

Kumiko eut une drôle de mimique et s'amusa à l'imiter.

– Ce n'est pas pour me vanter, mais je me vante quand même !

– Kumiko ! gronda Rajani. Ce n'est pas très gentil !

– Je t'adore, c'est juste que, par moments, tu joues un peu… les grandes sœurs protectrices ! Parfois, c'est bien, parfois, c'est un brin énervant. Ce matin, tu as rebouché mon tube de dentifrice, nettoyé ma brosse à cheveux et retapé mon lit. Je ne t'avais rien demandé, moi !

– Idalina me crie dessus parce que je ne range pas mes affaires, dit Naïma.

– Hé ! s'insurgea l'intéressée. Ce n'est pas vrai !

– Tu ne t'entends pas ! Enlève tes tee-shirts de la chaise ! Les chaussures, c'est dans l'armoire ! Les bouquins, on ne les empile pas par terre !

– On est tombées sur deux maniaques !
rit Kumiko.

– Heureusement pour vous, rétorqua
Rajani. Si on n'était pas sur votre dos,
nos chambres ne tarderaient pas à
ressembler à un champ de bataille !
Elle regarda derrière elle et ouvrit grands
les bras.

– Eh ben voilà ! Avec vos bêtises,
elle a disparu !

– Elle vient d'entrer dans le bois avec
le chien, expliqua Idalina. Je ne sais pas
comment elle fait pour courir avec une
jupe longue…

– On aura d'autres occasions de lui
parler, supposa Kumiko.
Naïma frissonna. Elle avait oublié sa veste et
elle avait froid maintenant. Rajani proposa
de regagner l'école. La cafétéria était
accessible à toute heure et un thé chaud

lui paraissait une bonne idée.

Pendant ce temps-là, Alexa et Jazz
s'enfonçaient dans les profondeurs de la
forêt. Le labrador s'en donnait à cœur joie.
Ce n'était pas si souvent qu'il pouvait galoper
comme ça ! La pente du terrain s'accentuait
brusquement. Alexa dérapa et se rattrapa
à une branche. Jazz était déjà en bas. Alexa
descendit avec prudence.

– Oh, chouette coin… murmura-t-elle.
Un ruisseau coulait au fond du ravin. Jazz
sauta dedans, éclaboussant partout.

– Mon pote, si je te ramène plein de
boue, je ne suis pas sûre que M. Meyer
va être ravi !
Jazz aboya et remua la queue. Puis bondit sur
la berge et partit à toute allure.

– Hé ! Attends-moi ! Jazz ! Oh non…
Manquerait plus que je perde le chien
du directeur…

Alexa avait du mal à suivre le labrador.
Les abords du ruisseau étaient très
broussailleux et elle s'écorchait aux ronces.

– Et puis flûte ! s'écria Alexa.

Elle décida de marcher dans l'eau. Mieux
valait se mouiller que de déchirer sa jupe.
La progression était difficile. Les cailloux
glissaient sous la semelle de ses sandales.
Plus elle avançait, plus le courant était fort.
Elle percevait un grondement sourd. Elle
prit peur et préféra se réfugier sur la terre
ferme. Au travers du rideau serré des arbres,
elle vit que le petit cours d'eau se jetait dans
une rivière. Alexa dénicha un passage entre
de gros rochers et s'y faufila. Elle s'arrêta,
émerveillée par le spectacle.

La rivière était en fait un véritable torrent,
d'une somptueuse couleur vert émeraude.
À une cinquantaine de mètres se dressait
un ancien moulin. La roue ne tournait

plus depuis longtemps,
mais le bâtiment
semblait encore
solide.
La silhouette de
Jazz se découpa
sur le vieux pont
en pierre qui
reliait le moulin
aux ruines
d'un village
abandonné.
Alexa repéra
la trace d'un
chemin et s'y
engagea.

Une pancarte en métal rouillé barrait
l'épaisse porte en bois du moulin.
Défense d'entrer – Danger.
Alexa sourit. C'était mieux qu'une invitation !
Elle essaya, sans succès, de soulever le gros
verrou en fer. Coincé…

> – Eh bien, mon pote, dit-elle en caressant
> Jazz, ce sera pour une autre fois…
> Allez, viens ! Ton maître va commencer
> à s'inquiéter !

À cet instant, elle regrettait de ne pas avoir
d'amis avec qui partager cette découverte.

Chapitre 11

Jour de fête

Alexa s'occupait en dessinant des bonshommes. Michelle était dans la salle de bains depuis une heure. Enfin, celle-ci apparut. Alexa referma précipitamment son cahier, geste qui n'échappa pas à Michelle.

– Ah, quand même ! s'écria Alexa en posant son crayon. Je n'ai plus que cinq minutes pour me préparer, moi ! Ça ne peut pas durer comme ça !

Alors, à l'avenir, ou tu te dépêcheras
ou tu te lèveras plus tôt !

– T'as qu'à passer avant moi, rétorqua
Michelle. De toute façon, aujourd'hui,
il n'y a pas urgence.

Alexa coupa court à la discussion pour aller
prendre sa douche. Dès qu'elle se retrouva
seule dans la chambre, Michelle s'empressa
d'ouvrir le cahier. En découvrant le dessin,
elle haussa les épaules. Eh ben ! Sa coloc
n'était vraiment pas douée !

Quand Alexa sortit de la salle de bains,
Michelle était partie. Elle examina son
bureau et fronça les sourcils. Le crayon
qu'elle avait pris soin de laisser sur le bord

de son classeur avait roulé par terre. Un truc qu'elle avait mis au point pour piéger son frère qui aimait fouiller dans ses affaires. Généralement, c'était un des chats qui se faisait prendre, mais le principe restait bon. Le crayon en équilibre tombait facilement si un objet était déplacé sur la table. D'ailleurs, le cahier était légèrement de travers... Pas de doute ! Cette fouineuse de Michelle avait regardé dedans. Alexa ricana. Elle avait peut-être regardé, mais elle n'avait sûrement pas compris ! N'empêche, il fallait se méfier de cette vilaine curieuse.

Alexa enfila ses bracelets multicolores. Voilà, elle était prête. Pour le petit déjeuner... sans personne avec qui le partager. Mais elle avait pris une décision : elle profiterait de la fête pour se faire des amis. D'ailleurs, elle était bien faite pour ça, non, cette fête de bienvenue ?

Elle ne s'attarda pas au réfectoire. Elle n'avait pas très faim. Pour tromper son ennui, Alexa rendit visite à Nelson. De l'extérieur, elle l'entendait cogner dans la porte de son box. Quelle rage ! Quand elle entra dans l'écurie, Nelson se réfugia dans un coin, soufflant bruyamment. Elle savait ce qu'il lui disait. « Qui es-tu, toi ? Va-t'en ! » Alexa garda ses distances, comme le lui avait conseillé Rainer. Puis elle se mit à souffler par la bouche, tout doucement. Elle lui répondait : « N'aie pas peur, je ne te veux pas de mal. » Nelson tourna les oreilles vers l'avant. Il écoutait.

– Tu vois, je connais ton langage…
murmura Alexa.

La peau de Nelson frémissait. Il frappa le sol mollement.

– *Annin nglelurumi gelane*.

Alexa répéta la phrase plusieurs fois sur

un ton chantonnant et calme. Nelson
ne bougea plus.

— *Annin nglelurumi gelane*... J'ai appris
cela de mon copain Jimmy de la tribu
Warramunga. Cela signifie :
« Aie confiance, mon frère. »
Nelson s'agita de nouveau. Des voix
parvenaient du dehors. Des élèves
appelaient les chevaux au pré pour leur
donner un morceau de pain ou de pomme.
Ils n'étaient pas discrets. Alexa soupira.

— Je reviendrai, mon frère.
Elle prit soin de tirer la lourde porte pour
éviter qu'on ne perturbe davantage Nelson.

***

Comme il faisait beau, on avait dressé de
grandes tables sur la pelouse. On se pressait
contre le buffet pour attraper les délicieux
sandwichs. Kumiko poussa des élèves pour

permettre à Idalina de passer. Celle-ci portait deux assiettes pleines, une pour elle et une pour Naïma. Rajani les attendait près du perron.

– Ouf ! s'écria Kumiko. C'est la foule !

Enfin, ça y est ! On a notre déjeuner ! Elles allaient pénétrer dans l'école lorsque Mme Beckett leur barra la route.

– Où allez-vous comme ça ?

Avec quatre assiettes ?

– C'est pour Naïma, madame, dit Idalina. Elle n'a pas le droit de descendre, alors on a pensé que...

– Tatata ! l'interrompit le professeur. Elle est punie et il est hors de question que vous alliez la rejoindre.

– Elle est aussi privée de déjeuner ? rétorqua Kumiko, scandalisée.

– Bien sûr que non. On lui a monté un plateau de la cuisine.

En voyant l'expression chagrinée sur
le visage d'Idalina, Mme Beckett eut
une seconde d'hésitation.

    — Bon... Je veillerai à ce qu'on lui apporte
quelques gâteaux en plus. Allez, ouste !
Je ne veux plus vous voir là !

Rajani la remercia. Kumiko fulminait.

Ruby, elle, profitait du soleil et de la fête,
ce n'était vraiment pas juste !

– Naïma nous attend, remarqua Idalina.
Elle ne va pas comprendre qu'on ne
revienne pas !

– Il faut la prévenir, dit Rajani. Vous êtes
logées de quel côté ?

– Heu... On voit le bois par la fenêtre,
donc c'est à droite !

Elles firent le tour du bâtiment.
Malheureusement, la fenêtre de la chambre
était close. Crier était inutile. Les élèves
faisaient beaucoup trop de bruit. Kumiko
ramassa une pierre et la soupesa.

– Tu n'y penses pas ! s'affola Rajani.
Tu risques de casser un carreau !

– Qu'est-ce que vous faites ? demanda
quelqu'un derrière elles.

– Rien ! fit Kumiko avant même de savoir
qui avait parlé.

Elle reconnut la fille qui s'était endormie
pendant le cours de maths.

– Rien d'intéressant, précisa-t-elle.

– Ouais, c'est ça ! ricana Alexa. J'espère
que tu vises juste ? Le lancer de caillou,
c'est un art ! Si tu cherches à attirer
l'attention d'une personne qui serait,
hum… au hasard, dans une pièce là-haut,
je conseillerais les gravillons. Nettement
moins dangereux.

– Ça ne marchera pas, remarqua
Idalina. Les graviers sont trop légers.
Ils n'atteindront pas le troisième étage.

– C'est vrai, admit Alexa. La question
est peut-être idiote mais pourquoi
vous n'entrez pas, tout simplement ?

– On nous l'a interdit, expliqua Rajani.

– Ben… pas à moi ! répondit Alexa en riant.
Kumiko et Rajani échangèrent un regard.
Idalina, d'une nature plus confiante,

manifesta son enthousiasme.

– Génial ! Tu voudrais bien porter un message à notre amie ? Chambre 306.

– C'est un secret ?

– Hein ? Non. Juste lui dire qu'on ne peut pas venir.

– C'est nul ! protesta Alexa, déçue. Faut jouer le jeu au moins !

– Que… Quoi ? bégaya Idalina, déroutée.

– Oh ! là, là ! Vous avez tout à apprendre, n'est-ce pas ? Imaginez que je sois attaquée en chemin…

– On ne va pas t'attaquer, voyons !
la coupa Rajani.

Alexa leva les yeux au ciel.

– Ce n'est pas important, ça ! On n'envoie jamais un message sans prendre des précautions. Je suppose que vous n'avez pas de code pour communiquer entre vous ? Non, évidemment.

– On s'est rencontrées il y a trois jours,
dit Rajani.

– Oui, mais elle a raison ! s'écria Kumiko.
Faut pas oublier les pestes ! Un code,
j'adore ça !

– C'est qui, ces pestes ? s'enquit Alexa.

– Ruby… grogna Idalina.

– Attends ! Ruby ? La blonde qui pèse
vingt kilos et qui est toujours avec
ma coloc ? Elle se prend pour la reine
d'Angleterre, celle-là !

– Ta coloc ?

– Cette prétentieuse de Michelle ! Hier
soir, elle ne m'a parlé que du prix de ses
fringues. J'avais l'impression de causer
avec un tiroir-caisse !

Kumiko éclata de rire. Elle appréciait la
franchise et l'humour d'Alexa. Elle semblait
aussi avoir des idées très originales. Alexa
leur raconta ce qui lui était arrivé à Bangkok.

L'histoire du scorpion amusa surtout Idalina qui, étonnamment, aimait les sales bêtes. Quand Alexa sut pourquoi Naïma était punie, elle trouva ça révoltant.

– Il ne faudrait pas oublier d'aller la voir, leur rappela Rajani.

– Oh, c'est vrai ! s'exclama Alexa.

La pauvre !

Elle s'accroupit pour enlever ses sandales. Puis elle sourit aux filles.

– Croyez-en ma longue expérience. La meilleure façon de ne pas éveiller les soupçons, c'est de ne pas avoir l'air de cacher quelque chose.

Ses sandales à la main, Alexa se dirigea vers l'entrée de l'école. Mme Beckett était toujours sur le perron. Alexa n'essaya pas de se faufiler dans son dos et se présenta devant elle.

– Est-ce que je peux monter, madame ?

J'ai mal aux pieds. Je voudrais changer de chaussures.

– Bien sûr, miss Clark.

Alexa la remercia poliment. Elle se rendit d'abord dans sa chambre pour mettre ses baskets roses. Au cas où Mme Beckett serait du genre méfiant.

Naïma ouvrit la porte dès qu'elle entendit frapper.

– Vous en avez mis du temps ! Oh !

Elle dévisagea Alexa. Elle la reconnaissait et se demandait si Ruby n'essayait pas de la piéger en lui envoyant une de ses copines.

– Salut ! Je suis la messagère. Enfin, Alexa.

Elle lui expliqua la raison de sa présence.

Naïma restait sans réaction.

    – Y a un problème ? s'étonna Alexa.

    – Pas du tout. Merci.

Naïma lui referma la porte au nez. Alexa mit les poings sur ses hanches. Eh bien ! Pour un accueil glacial, ça frisait les moins quarante ! Elle aurait dû s'en douter. Voilà ce qui arrivait quand on n'avait pas de code secret. Naïma faisait preuve d'une prudence excessive. Ce qui était plutôt un bon point pour elle.

L'excitation gagna Alexa. Elle était sûre d'avoir trouvé les amies dont elle rêvait. Cette année allait être géniale !

Chapitre 12
Kinra *Girls*[15]

L a fête s'étirait en longueur. Même s'il était intéressant pour les nouveaux élèves d'échanger leurs impressions avec les anciens. Vers 17 heures, Miss Daisy annonça qu'il était temps de rentrer. Idalina, Kumiko, Rajani et Alexa se précipitèrent chambre 306. Naïma, qui commençait à s'ennuyer, fut heureuse de leur retour. Elle se renfrogna en apercevant Alexa.

– Y a pas assez de place, dit-elle. Pour cinq…

15. Girls *(en anglais) : filles.*

Une façon détournée de signifier à l'Australienne qu'elle était de trop.

— Ça va si on s'assoit sur les lits, l'assura Rajani.

Naïma grogna mais n'osa pas insister.

— Comment on fabrique un code ? demanda Kumiko à Alexa.

— Vous avez une bonne mémoire ? Parce que c'est indispensable. Il faut tout apprendre par cœur. Vous avez du papier ?

Idalina sortit son classeur et le lui tendit. Sur une feuille, Alexa commença à dessiner des bonshommes. Elle expliqua que, avec son frère Ben et leur copain Jimmy, ils avaient inventé le langage *Mullee Mullee*[16]. Jimmy venait d'une des tribus aborigènes. *Mullee Mullee* était le nom de l'Esprit du Rêve pour son peuple.

— Pour parler notre langage, il suffit de remplacer un mot par un autre.

16. Prononcer « Mulli Mulli ».

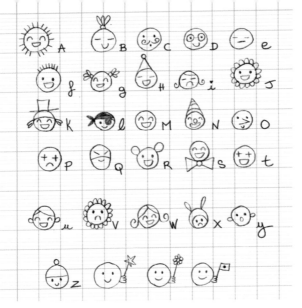

Par exemple, si je désire tenir une réunion dans notre cabane dans les bois, je dis : « *Bora* à la piscine. » À part nous, personne ne comprend ! Une *bora*, c'est une cérémonie sacrée chez les Aborigènes. Ben, Jimmy et moi sommes membres de la tribu *Mullee Mullee* et notre totem, c'est le crocodile.

– Et ce que tu fais là, c'est un alphabet codé, supposa Rajani. Malin… Tu vas vite !

– L'habitude. Je me suis beaucoup
exercée ! Ce qui est difficile, c'est de
se souvenir des détails. Pour indiquer
le début d'un mot, on ajoute un
accessoire.

Naïma oublia sa méfiance envers Alexa.
Une fille qui n'hésitait pas à vous confier ses

secrets était forcément une amie. Kumiko
prit un crayon. Elle avait hâte d'essayer le
code avec son prénom. Elle traça un rond
et s'arrêta brusquement.

– C'est marrant ! Le K, c'est un bonhomme
avec un chapeau ! Moi qui adore les
chapeaux !

– Et moi, et moi ? s'écria Idalina.

Le I, c'est…

– C'est celui qui pleurniche ! dit Kumiko. Ça te va comme un gant !

– Ah non ! protesta Idalina.

Je ne pleure plus ! Presque plus…

Juste le soir.

– Ben, là, tout de suite, ta tête ressemble au dessin ! railla Naïma. Oh ! Regardez ! C'est incroyable, le N, c'est un clown !

– Eh, Rajani, t'as vu le R ? s'exclama Kumiko. Avec les grandes oreilles, c'est le portrait craché d'**Atman**, ton singe en peluche !

– Et le A, c'est celui qui rigole ! rit Alexa.

– C'est fou, remarqua Rajani, ça nous correspond parfaitement !

Très amusée par cette étonnante coïncidence, Kumiko écrivit leurs initiales et leurs

traductions en **Mullee Mullee**.
Sur une feuille blanche, Alexa
dessina trois personnages.

— Et puis, il y a le code
d'urgence. C'est facile à
retenir. Imaginez que je sois
sur une butte entourée par
des crocodiles et que vous soyez trop
loin pour m'entendre appeler à l'aide.
Je lève les deux bras, c'est le signe
« au secours ». Si je repère des crocodiles
autour de vous, j'étends les bras, c'est le
signe « danger ».

— Et le dernier, c'est « tout va bien »,
compléta Rajani. Pas de crocodiles !

— Voilà. Sauf que là où j'habite, on part du
principe qu'il y a toujours des crocodiles !

— Comment on dit : « Attention, les
pestes sont dans le coin » en **Mullee
Mullee** ? plaisanta Naïma.

– 0 %, répliqua Alexa. Elles sont au régime, ces idiotes ! On devrait se faire une liste de vocabulaire.

Dans le classeur d'Idalina, elle nota :

« 0 % = pestes. »

– Dommage qu'on n'ait pas une cabane dans les bois, ici, regretta Rajani.

Alexa rebondit sur le lit.

– Ah, mais… On a mieux !

Elle leur raconta comment, en promenant Jazz, elle avait découvert les ruines d'un village et un magnifique moulin au bord d'un torrent. Un endroit idéal pour s'y retrouver !

– J'ai un mot pour ça ! cria Kumiko. Borakawa ! *Kawa* signifie « rivière » en japonais. Avec ton *bora*, ça sonne super bien.

Alexa acquiesça et écrivit : « borakawa = rendez-vous au moulin. » Rajani pointa le doigt sur les bonshommes de Kumiko.

– C'est drôle, nos initiales l'une au-dessous de l'autre, ça fait KINRA.

– Ça me plaît, ça ! s'enthousiasma Alexa. La tribu Kinra !

– Kinra **Girls**, suggéra Idalina. N'oublions pas que nous sommes des filles !

– Et pour notre totem ? s'enquit Kumiko. Il nous en faut un !

À tour de rôle, elles proposèrent des animaux. Chien, chat, koala, cheval, scorpion !

– Bob, fit soudain Naïma.

– Jamais entendu parler, répondit Alexa. C'est quoi comme bête, un bob ?

– Pas un bob, Bob ! C'est le perroquet de M. Tremblay, mon professeur des arts du cirque ! Il est gris avec une queue rouge. Il est très beau. Et très rigolo.

– Un totem vivant… murmura Alexa, les yeux dans le vague. Cool… Ton prof nous le prêterait, son perroquet ?

– Heu… ça m'étonnerait !

– On n'a pas besoin de l'avoir avec nous, dit Rajani, du moment qu'on sait que c'est notre totem !

– Alors, d'accord pour Bob ! déclara Idalina.

Juste avant de disparaître derrière les arbres, le soleil illumina la pièce. Rajani regarda les visages éclairés par une douce lumière dorée. Elle sourit.

– J'ai toujours eu envie d'appartenir à un club secret ou quelque chose de ce genre. Comme dans les romans ! Je ne croyais pas que ça pourrait vraiment m'arriver. Et ça y est. Je suis une Kinra !

Dans un grand éclat de rire, Rajani lança :

– Kinra *Girls forever*[17] !

– Kinra *Girls forever* ! répondirent quatre voix en écho.

La pénombre envahit la chambre 306.

---

17. Forever *(en anglais) : pour toujours.*

Le silence s'installa. Kumiko alluma la lampe
et commença à dessiner un perroquet.
Idalina posa la tête sur l'épaule de Naïma.
« Se taire, parfois, c'est bien », pensa Alexa.
Rajani s'empara d'un feutre. Sur la liste du
vocabulaire *Mullee Mullee*, elle inscrivit :
« Avoir des amis, c'est être riche. »

Histoire à suivre...

VOCABULAIRE

Annin nglelurumi gelane
(en aborigène) :
« aie confiance, mon frère ».

Atman (en sanskrit) :
âme. En Inde, le singe
est le symbole de l'âme.

Bharatanatyam (en tamoul) :
danse traditionnelle du sud de l'Inde.

Bora (en aborigène) :
cérémonie sacrée chez les Aborigènes.

Bush (en anglais) :
végétation formée d'arbustes
et d'arbres isolés. En Australie,
cette végétation est très répandue.

Coconut (en anglais) :
Noix de coco.

Fashion victim (en anglais) :
victime de la mode.

Flamenco (en espagnol) :
musique et danse populaires
d'Andalousie.

Forever (en anglais) :
pour toujours.

Girl (en anglais) :
fille.

Hola (en espagnol) :
bonjour, salut, bonsoir.

Kawa (en japonais) :
rivière.

Lunares (en espagnol) :
pois.

Mullee Mullee
(prononcer Mulli Mulli, en aborigène) :
Esprit du Rêve pour les Aborigènes.

Namasté (en hindi) :
« je m'incline devant vous »,
formule de politesse qui signifie
« bonjour, au revoir, bienvenue ».

River Princess (en anglais) :
Princesse de la rivière.

See you later (en anglais) :
à plus tard, salut.

Sitar :
instrument de musique à cordes indien
qui ressemble un peu à une guitare.

LE MASSAGE AYURVÉDIQUE

Le massage ayurvédique est un massage indien.

Son nom vient de l'ayurveda, la « science de la vie », qui est la médecine traditionnelle indienne encore pratiquée de nos jours. Pour soigner, elle utilise

des plantes, des massages et des aliments choisis pour leurs bienfaits pour le corps. Cette médecine existe depuis plus de cinq mille ans !

Le massage ayurvédique consiste à masser tout le corps ou certains endroits seulement avec des produits naturels et des plantes, souvent de l'huile tiède.

Ces massages détendent énormément. Ils enlèvent le stress et améliorent la circulation du sang, détendent les muscles...

En Inde, ils font partie de la vie courante des hommes comme des femmes et des enfants. Les mères indiennes massent même leurs bébés tous les jours !

LES CROCODILES

Les crocodiles sont des reptiles aquatiques.
Il en existe beaucoup d'espèces différentes.
Certains vivent dans l'eau douce (les rivières...),
d'autres dans l'eau salée (la mer...). On les trouve
en Afrique, en Asie, en Australie, en Amérique
du Nord et en Amérique du Sud.

Leur taille varie selon l'espèce : de 1 m à presque
8 m de long ! Ils se nourrissent de mammifères,
d'oiseaux et de poissons, morts ou vivants. Ils
sont très féroces ! Ils sont capables de nous
manger, mais aussi de se dévorer entre eux !

Deux espèces de crocodiles vivent
en Australie : le crocodile marin et le
crocodile de Johnson. Le crocodile
marin vit dans l'eau salée, mais aussi
dans l'eau douce (il peut remonter
les fleuves à partir de la mer) ;
il est, avec son cousin le
crocodile du Nil,

POUR EN SAVOIR PLUS...

le plus grand, le plus gros et le plus puissant
des reptiles vivants !

Sa taille est au maximum de 6 m et il peut peser
jusqu'à 1 tonne ! Il peut manger des buffles, mais
aussi des kangourous ou des sangliers sauvages.
Les chasseurs le tuent à cause de sa réputation de
« mangeur d'hommes », mais aussi parce que sa
peau peut être vendue très cher pour fabriquer
différents objets (sacs, chaussures…).

Le crocodile de
Johnson vit surtout
dans l'eau douce,
il ne dépasse pas 3 m.

© Matthias Hayward/Istock

LE CODE
MULLEE MULLEE

Bora = réunion secrète.

Borakawa = rendez-vous au moulin.

0% = attention, les pestes sont dans le coin.

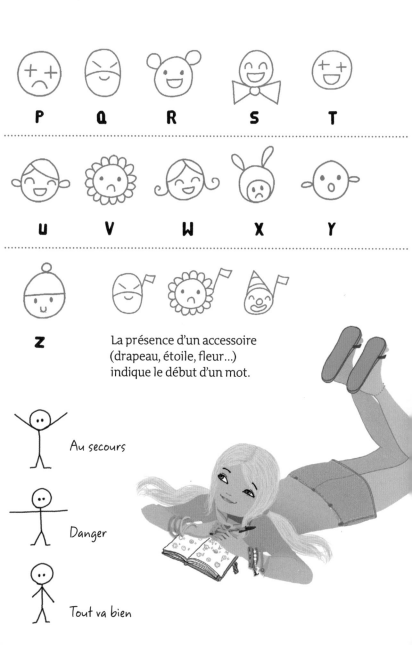

P	Q	R	S	T

U	V	W	X	Y

Z

La présence d'un accessoire (drapeau, étoile, fleur...) indique le début d'un mot.

Au secours

Danger

Tout va bien

PLAN DU DOMAINE

Les écuries

Le kiosque et le labyrinthe

Le cirque

L'Académie Bergström

Le moulin abandonné

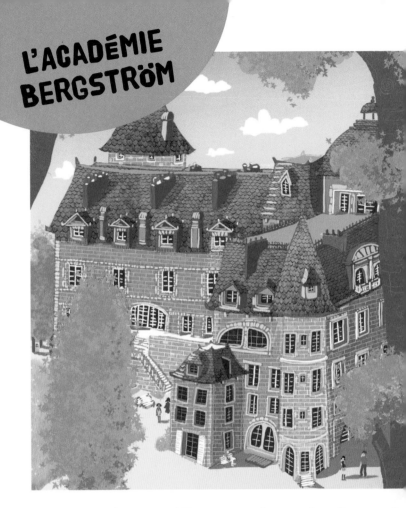

L'ACADÉMIE BERGSTRÖM

Les Kinra Girls sont **5 filles** venues des **4 coins du monde**

Kumiko, la Japonaise, **Idalina,** l'Espagnole,
Naïma, l'Afro-Américaine, **Rajani,** l'Indienne,
et **Alexa,** l'Australienne, se rencontrent
à l'Académie Bergström, un collège international
qui accueille des élèves talentueux du monde entier.

Ces 5 filles aux cultures si différentes vont vivre ensemble des moments exceptionnels.

Au fil de leurs multiples aventures, elles vont s'ouvrir au monde, découvrir les **cultures** des autres pays, apprendre à respecter leurs **différences** et devenir inséparables.

Retrouve tout l'univers
des Kinra Girls sur
WWW.COROLLE.COM

Imagine la suite de l'histoire avec ta Kumiko,
ton Idalina, ta Naïma, ta Rajani et ton Alexa !

Poupée de 42 cm, au corps souple et articulé, qui permet à Kumiko, Idalina, Naïma, Rajani
et Alexa de prendre toutes les attitudes.

À toi de jouer avec Kumiko, Idalina,
Naïma, Rajani et Alexa.
**LES KINRA GIRLS, DES POUPÉES
POUR REFAIRE LE MONDE.**

Retrouve-les sur **www.corolle.com**

La chauffeuse-lit t'est offerte pour tout achat d'un
coffret poupée Kinra Girls sur le site www.corolle.com
avec le code : RENCONTRE.

Offre valable à partir du 18 juin 2012 et jusqu'à épuisement des stocks.

Corolle

kinra girls

DÉCOUVRE LES CINQ HÉROÏNES AVANT LEUR RENCONTRE

k
umiko

i
dalina

n
aïma

r
ajani

a
lexa

LE SECRET DE KUMIKO

IDALINA CHANTEUSE DE FLAMENCO

NAÏMA ET LE CIRQUE DE NEW YORK

RAJANI VEUT DANSER

LE CODE SECRET D'ALEXA

Découvre l'histoire de chacune de nos amies avant leur rencontre dans l'Académie internationale Bergström, un collège qui accueille des élèves talentueux du monde entier.